99

TIPS DE

6 DECISIONES
más importantes de tu vida

Las

99 TIPS DE

Las 6 DECISIONES más importantes de tu vida

Sean Covey

Selección de Guillermo Gánem

Grijalbo

99 tips de Las 6 decisiones más importantes de tu vida

Título original: *Quotes from The 6 Most Important Decisions You'll Ever Make*

Primera edición: abril, 2008

D. R. © 2006 Franklin Covey Company

Selección y prólogo de Guillermo Gánem

Traducción: María Andrea Giovine, Josefa de Régules,
Carlos Roberto Ramírez Fuentes

Derechos exclusivos de edición en español para México, América del Sur y
Estados Unidos:

D. R. © 2007, Random House Mondadori, S. A. de C.V.
        Av. Homero No. 544, Col. Chapultepec Morales,
        Del. Miguel Hidalgo, C. P. 11570, México, D. F.

www.randomhousemondadori.com.mx

Comentarios de la edición y contenido de este libro a:
literaria@randomhousemondadori.com.mx

ISBN 978-970-810-114-1

Impreso en México / *Printed in Mexico*

Índice

DECISIÓN 2. AMIGOS

DECISIÓN 3. PADRES

DECISIÓN 4. NOVIAZGO Y SEXO

DECISIÓN 5. ADICCIONES

DECISIÓN 6. LA PROPIA VALÍA

Introducción

Hola.

La capacidad de tus padres para orientarte, aconsejarte, acompañarte y, lo más importante, *com-pren-der-te* ha quedado rebasada. Y muchos de ellos ni siquiera se han dado cuenta de ello... ¿No es cierto?

Pero, por otro lado, probablemente tú también crees y sientes que su orientación, consejo, compañía y comprensión ya no te sirven, ya no las quieres o ya no las necesitas... ¿No es cierto?

En este siglo XXI, cuando te ha tocado vivir, desde temprana edad estás en condiciones de ver y hacer cosas que van en sentido contrario a los principios lógicos, y a veces muy obvios, para mantener saludables tu mente, tu cuerpo y tu espíritu. ¿No crees que buena parte de los mensajes de la publicidad que te llega tiende a presionarte con la falsa idea de que viviendo así serás una persona muy exitosa, feliz y saludable? Lamentablemente muchísimos jóvenes (y adultos también, ¡qué va!) se lo creen con asombrosa facilidad.

A mí me gusta sentarme a alucinar durante unos minutos para ver al futuro. No sé por qué, siempre me imagino exitoso, triunfante, lleno de salud, con muchos amigos o que mis hijos son completamente felices. Y, claro, nunca me contemplo de forma negativa. Supongo que eso es normal y que todos queremos siempre un bienestar mayor. Sin embargo, tú te puedes dar cuenta de que hay millones de personas que viven vidas muy deterioradas y con mucho sufrimiento y que darían cualquier cosa por salir de su terrible situación de la que ya no tienen ninguna posibilidad de escapar. Pero no fue casual o de un día al otro como llegaron ahí: durante todos los días pasados de su vida se ocuparon una y otra vez en esas cosas y acciones de manera terca, ciega, inconsciente, creyendo que estaba muy bien lo que hacían y eso los condujo hacia ese destino. Si ellos no hubieran generado "miopía" en su visión del futuro, te aseguro que hubieran hecho cosas totalmente diferentes de las que hicieron y hubieran detectado la gran falsedad de la publicidad y las superficiales relaciones amistosas que llevaron. Y es muy fácil saber por qué. Haz una rápida reflexión sobre lo siguiente:

¿Te gustaría estar en una cama de hospital, en terapia intensiva, a los 38 años, vomitando sangre tan potentemente que alcance el techo, con sensación de asfixia y dolores intensísimos en el abdomen, a la vista de tus familiares más cercanos y habiéndote informado el doctor que ya nada más dos semanas más de esto y todo concluirá con tu muerte, y todo por el alcohol?

La respuesta parece obvia, ¿no? Pero lo que no resulta tan obvio es que los cientos de miles de personas que terminan así por la cirrosis, cada día de la semana o de los fines de semana que abusaron del alcohol, *jamás* proyectaron su vida hacia el futuro para ver el fin que *lógicamente* tendrían que tener si seguían con esa actitud. Pero si no miraban su futuro, ¿en qué enfocaban sus decisiones?, ¿qué decían juguetona y prepotentemente cada día que tomaban alcohol de más?: *"Chin-chin* si no me la tomo de un jalón", "te va ganando por dos chelas", "el que se raje primero paga la cuenta", "¿ya te vas a tomar tu lechita, mandilón?", "por fin unos tragos con los buenos cuates, después de una semana en friega"... Ahora, en su lecho de muerte, pregúntales si sería un excelente detalle de los amigos de "toda la vida", "los verdaderos" llevarle la otra botella y que se la tome de un trago para no "defraudarlos"...

Ahora bien, ¿vislumbraron el dolor emocional que le causaban a su familia?, ¿veían el costo económico que le ocasionaron al grado de llevarla a la quiebra?... Está claro: tuvieron "miopía" del futuro.

Yo creo que, debido al desarrollo de la sociedad actual, se ha vuelto indispensable que sepas asumir más rápidamente la *responsabilidad* casi total de tu existencia, y de paso también las graves *consecuencias* que te puede ocasionar no estar consciente de tu realidad. Te voy a contar mi situación: tengo cuatro hijos; el mayor de 22 años y el menor de 18. Recuerdo que a mi hijo menor, a sus cortos 12 años, tuve que hablarle franca y crudamente acerca de la pornografía (entre otros temas) y de la posibilidad que él tenía de dañar con facilidad su mente y sus sentimientos, por la irremediable invasión de internet a la intimidad del hogar. Podía ver y escuchar de manera instantánea y gratuita y muy gráfica las peores perversiones en relación con el sexo y además hacer contacto inmediato con miles de personas metidas en esto, sin que yo pudiera controlarlo ni la ley protegerlo. Tenía que decidir por sí mismo si superaría la continua tentación de involucrarse con ese vicio o quedar atrapado en él, con tan sólo presionar un botón a su diario alcance... ¡Doce años! y dolorosamente tener ya que hablarle de esto, antes de que la experiencia de la pornografía lo tomara por sorpresa.

Hace 30 años, los "preadolescentes" definitivamente estábamos más protegidos que ahora: te costaba mucho más trabajo conseguir revistas pornos, era muy difícil que los voceros te las vendieran siendo menor de edad, los gráficos eran mucho menos explícitos y las autoridades y los padres de familia verdaderamente protegían, censuraban y sancionaban a los que faltaran a las normas regulatorias contra esta actividad. Si te sorprendían en la escuela con una revista, te expulsaban varios días sin ninguna posibilidad de que se suavizara la sanción y si reincidías, eras expulsado definitivamente.

Y así como la pornografía, también el tabaco, el alcohol, la droga, el sexo, la vagancia, la pérdida de respeto a los valores patrios y a las instituciones más representativas de la nación se han puesto al alcance de tu mano disfrazados de ser tus mejores compañeros y guías para el desarrollo de tu seguridad personal y de tu atractivo social.

Si tienes la fortuna de vivir con tus papás o con familiares o tutores que verdaderamente te aman, verás que, por más que quieran protegerte y orientarte, sus capacidades han quedado rebasadas. Tal vez te dicen con mucha claridad y calidez que no deberías fumar, por ejemplo, pero al salir de tu casa oyes y ves diariamente más de 300 mensajes, anuncios, comentarios de que fumes y de que está bien que lo hagas; ¿quién gana? Dos de mis cuatro hijos eligieron el camino de fumar. Cada vez que los escucho toser se me encoje el corazón. Uno de ellos, siendo tan joven, ya reconoce que le costaría trabajo dejar de consumir tabaco. Pero ellos lo han *elegido* a pesar de mis intentos de orientarlos acerca de las serias consecuencias de este hábito. Date cuenta de que ya depende más de ti que de tus papás, familia o maestros lo que hagas con tu vida, por más que tus seres queridos —y a los que realmente *les importas*— te quieran proteger de tantos peligros.

En tus manos tienes el extracto de un libro escrito por un autor que ha tenido la extraordinaria oportunidad de conocer a cientos de jóvenes de diferentes partes del mundo que le han dado la confianza para expresarle sus experiencias y las consecuencias y sentimientos de las mismas, lo que le produjo un efecto tan profundo que se sintió obligado a compartirlas *contigo* y la única manera que tenía de hacértelas llegar era a través de un libro, que llamó *Las seis decisiones más importantes de tu vida*. Él se llama Sean Covey y, aparte de ser un adulto "joven" con gran experiencia profesional y gran habilidad para convivir con la juventud, es hijo de uno de los líderes mundiales más influyentes de las últimas décadas, el doctor Stephen R. Covey.

La lectura que a continuación realizarás hará las veces de unos lentes graduados a tu medida para que puedas ver con bastante claridad en tu mente cómo será tu vida en el futuro, dependiendo del *camino* que elijas construir con tus *decisiones*. Son reflexiones que te dejan bien clara una visión de un futuro de dolor, pena y angustia y otra de un futuro colmado de grandes satisfacciones y logros. Conocerás varias experiencias de jóvenes de diferentes partes del mundo que viven consecuencias: unas maravillosas, otras terribles.

Es un libro escrito básicamente por jóvenes para jóvenes. Vas a estar muy satisfecho con la *decisión correcta* que tomaste al leerlo una vez que lo termines, ya lo verás. Tendrás mayor conciencia para tomar un mejor rumbo.

Por lo pronto, te expreso una sincerísima felicitación antes de que inicies la lectura. ¿Sabes por qué? Pudiste haber elegido comprar una obra vulgar, simple, de fácil lectura, con una portada muy vistosa a pocos metros de donde tomaste este libro y, en vez de ello, elegiste llevarte éste... Ya que lo tienes en tus manos, *¡disfrútalo!*, *¡aprovéchalo!*

Con gran afecto
GUILLERMO GÁNEM

ESCUELA

¿Qué vas a hacer con tu educación?

¿Qué vas a hacer con tu educación?

Lo que hagas respecto a la escuela durante tu adolescencia puede determinar tu calidad de vida en los siguientes 50 años: puedes tomar el camino correcto —quedarte en la escuela, esforzarte y prepararte para una carrera universitaria— o el camino equivocado: dejar la escuela y no prepararte. Tú decides.

Napoleón: Nadie va a querer salir conmigo.
Pedro: ¿Ya se lo pediste a alguien?
Napoleón: No, pero ¿quién va a querer? No tengo ninguna cualidad.
Pedro: ¿Como cuál?
Napoleón: Ya sabes, como saber pelear con chacos, cazar con arco o violar computadoras. A las chicas sólo les gustan los novios con grandes cualidades. — Napoleón Dinamita

Había tres cosas que no me gustaban de la preparatoria: la tarea, la tarea y la tarea, en ese orden. Pero había algo que sí me gustaba: la poesía. Tenía varios amigos aficionados también a ella. Escribíamos poemas bobos y nos los dábamos a leer para ver a quién se le ocurría el peor.

Mi mejor colaboración para la lista de los más tontos la escribí cuando tenía como 16 años. Era el día de Año Nuevo. Había visto unos partidos de futbol americano con mis hermanos, David y Esteban. Echados en el sofá habíamos devorado una montaña de comida chatarra —pizza, nachos, refrescos y demás porquerías— y me dolía mucho la cabeza. Después nos quedamos dormidos. Me desperté con una sensación extraña: vi con horror que tenía mi pantorrilla pegada a la de Esteban. Es que los dos llevábamos pantalones cortos y nuestras pantorrillas se habían pegado con una delgada capa de sudor. ¡Qué asco! Tiempo después expresé lo que sentí entonces en este poema:

GORDA Y TIBIA

En una especie de muerte,
mis oídos truenan fuerte.
Pizza, nachos y rosquillas,
huele a pies, grandes barrigas.
En eso rompe a llover,
tu pierna toca la mía...
¡Gorda y tibia pantorrilla!

En la escuela participé en algunos concursos de redacción y, a juzgar por mi poema, apuesto a que no te extraña que jamás ganara nada. Sin embargo, comprendí que el lenguaje me apasionaba y esta certidumbre me ayudó a decidir qué estudiar en la universidad y a qué dedicarme al crecer.

Esto me lleva a la primera decisión más importante que tomarás en la vida: ¿qué hacer con la escuela, con tu educación? ¿Por qué es ésta una de las seis decisiones más importantes? Pues porque lo que hagas respecto a la escuela durante tu adolescencia puede determinar tu calidad de vida en los siguientes 50 años.

Como en todas las decisiones clave, en ésta se **bifurca el camino.**

Puedes tomar el camino correcto —quedarte en la escuela, esforzarte y prepararte para una carrera universitaria— o el camino equivocado: dejar la escuela (o quedarte, pero holgazanear) y no prepararte. Tú decides.

Como hay muchas cosas importantes que tratar en este capítulo, lo dividí en cuatro secciones.

La primera, **Perseverar,** está escrita para aquellos de ustedes que piensan dejar la preparatoria. Sí: intentaré disuadirlos de ello. En **Sobrevivir y prosperar** hablaremos de cómo conservar la motivación, tener éxito y lidiar con todas las presiones y altibajos cotidianos propios de la escuela. **A la universidad** se enfocará en cómo prepararte para ingresar en la universidad de tu elección y cómo pagar tus estudios. Por último, en **Encontrar tu camino** hablaremos de lo que quieres ser de grande.

PRUEBA ESCOLAR

Antes de pasar a lo siguiente, responde este cuestionario de 10 preguntas. Te ayudará a averiguar por qué camino vas, así que sé muy honesto. Todos los capítulos tienen una prueba similar.

ENCIERRA EN UN CÍRCULO TU ELECCIÓN	¡EN ABSOLUTO!				¡CLARO!
1. Pienso terminar la preparatoria.	1	2	3	4	5
2. Pienso seguir estudiando al terminar la preparatoria.	1	2	3	4	5
3. Creo que una buena preparación es básica para mi futuro.	1	2	3	4	5
4. Me estoy esforzando en la escuela.	1	2	3	4	5
5. Saco buenas calificaciones.	1	2	3	4	5
6. Participo en actividades extraescolares.	1	2	3	4	5
7. Estoy al corriente con las tareas.	1	2	3	4	5
8. Tengo el estrés bajo control.	1	2	3	4	5
9. Mantengo el equilibrio entre la escuela y mis otras actividades.	1	2	3	4	5
10. Dedico tiempo a pensar y analizar lo que quiero ser de grande.	1	2	3	4	5
TOTAL					

"Mi mamá tiene un dicho: 'Paga ahora y jugarás después, o juega ahora y pagarás después'. Pagar ahora es cumplir con mi deber en la escuela y más adelante ser una persona exitosa; jugar ahora implica pagar después con serias dificultades económicas y mucho rechazo social." (Una adolescente llamada Yolanda.)

¿Qué tienen que ver los malvaviscos con la deserción escolar? Mucho. Dejar la escuela es equiparable a comerse el malvavisco ahora. Ese suave malvavisco sabe muy bien, y dejar la escuela también puede saber delicioso, al principio. Por

SEAN, ¿TE ESCONDISTE LOS MALVAVISCOS EN LAS MEJILLAS?

LOS ESTOY GUARDANDO PARA DESPUÉS.

ejemplo, si dejas la escuela, en seguida puedes empezar a ganar más dinero para comprar cosas, como un coche. Podrías costearte tu propio departamento. Además, te deshaces al instante de la pesadilla de hacer tareas y obtener calificaciones.

Sin embargo, al dejar la escuela ahora sacrificas dos malvaviscos después, lo que resulta un mal negocio. Los dos malvaviscos adoptan con el tiempo la forma de más aptitudes, un empleo mejor remunerado, un auto más bonito, más posibilidades de ayudar a los demás y un mayor aprecio por lo que te rodea.

Claro que has escuchado todas las razones para perseverar en la escuela, pero ¿las has considerado con atención?

¿Te das cuenta de que si no terminas la preparatoria, el castigo será tener un trabajo mal pagado el resto de tu vida?

¿Por qué? Porque no tendrás las aptitudes necesarias para obtener un empleo mejor remunerado.

Una adolescente llamada Yolanda lo dijo bien: "Mi mamá tiene un dicho: 'Paga ahora y jugarás después, o juega ahora y pagarás después'. Pagar ahora es cumplir con mi deber en la escuela y más adelante ser una persona exitosa; jugar ahora implica pagar después con un empleo modesto, quizá en McDonald's haciendo hamburguesas".

¿Cuánto ganarás?

Un sueldo de entre 8 y 10 dólares la hora puede parecerte bueno ahora, pero es insuficiente, créeme. Basta compararlo con lo que puedes ganar si terminas la preparatoria o, mejor aún, si vas a la universidad. Esta información de sueldos es de la Oficina de Estadística Laboral de E.U. Aunque las cifras pueden variar de un año a otro, las diferencias son constantes.

¿Les va bien a algunos de los que dejan la preparatoria? A unos cuantos. Pero es como jugar a la lotería. Las probabilidades están en tu contra. Entonces, ¿para qué arriesgarse?

$1 772 dólares al mes

Desertor de preparatoria: **$10.22** dólares la hora, en promedio

$2 526 dólares al mes

Graduado de preparatoria: **$14.50** dólares la hora

$4 060 dólares al mes

Con carrera universitaria de cuatro años: **$23.42** dólares la hora

Ésta es la cruel realidad:

- *A quienes dejan la escuela les cuesta mucho más trabajo encontrar empleo y conservarlo: 50 por ciento de ellos están desempleados.*

- *Se suele etiquetar a quienes dejan la escuela como personas que no terminan las cosas.*

- *Quienes dejan la escuela suelen ir de un empleo a otro, en vez de labrarse una carrera.*

- *A los que dejan la escuela ni siquiera se les tiene en cuenta para la mayoría de los empleos bien pagados, aunque estén calificados.*

- *Y cada vez más, en casi todos los países, el diploma de preparatoria no basta. Como dice Vlad, un adolescente ruso: "Hoy día en Rusia, no eres nadie si no tienes un título universitario. Sin él no encuentras trabajo".*

Tomar la decisión de seguir estudiando quizá sea lo más difícil que hayas hecho. Tal vez tu vida familiar sea complicada y no tengas casi ningún apoyo en casa para triunfar en la escuela. Quizá estés lleno de inseguridades y dudes de tu capacidad para terminar con éxito tus estudios. Tal vez odies la sola idea de ir a la escuela un día más. Pero te prometo que te lo agradecerás toda la vida si perseveras. No será fácil, pero valdrá la pena.

¿Cómo elegir decirle "¡sí!" a la escuela?

Atrévete a poner en práctica las sugerencias que te presento a continuación y te quedarás como alucinado de su poderoso impacto; te producirán la *energía* necesaria para motivarte:

Recarga frecuentemente las pilas en las cuatro partes de las que estás hecho: cuerpo(parte física), corazón(tus relaciones con las demás personas), mente (parte mental) y alma (parte espiritual).

ENCIERRA EN UN CÍRCULO TU ELECCIÓN	¡EN ABSOLUTO!				¡CLARO!
CUERPO Come una dieta bien balanceada, duerme de 8 a 8:30 horas y haz mucho ejercicio.	1	2	3	4	5
CORAZÓN Dedica algo de tiempo a las relaciones importantes de tu vida: amigos, familia, pareja.	1	2	3	4	5
MENTE Lee mucho. Adquiere pasatiempos que sean un reto a tu inteligencia.	1	2	3	4	5
ALMA Dedica tiempo a servir a los demás: Toca un instrumento musical. Camina y observa atentamente lo que sucede a tu alrededor y lee libros edificantes.	1	2	3	4	5

TAL VEZ TE ESTÉS PREGUNTANDO ¿Y DE DÓNDE PUEDO SACAR EL TIEMPO PARA TODO ESTO?

Toma una hoja de papel y ve anotando en ella qué cantidad de horas dedicas en una semana a ver televisión, chatear, enviar mensajes, jugar con el XBox o el PlayStation o pasearte por un centro comercial. Ahora pregúntate sinceramente si pudieras tomar tan sólo el 50% de este tiempo sin enloquecer, para invertirlo en las actividades que te propuse anteriormente.

¿Sabías que el adolescente estadounidense medio ve la televisión durante **21 horas por semana!** Y luego se quejan de que no tienen tiempo. Hmm...

BUSCATIEMPO

ACTIVIDAD	HORAS DEDICADAS A ESTO LA SEMANA PASADA	HORAS QUE PODRÍA AHORRAR CADA SEMANA
Ve menos televisión		
Reduce tu gastatiempo personal (GP) (Mi GP: _____)		
Di que no con una sonrisa (Actividad menos importante: _____)		
Deja de posponer		
TOTAL DE HORAS		

Ve menos televisión

Ver televisión es, con mucho, la mayor pérdida de tiempo y lo que a los holgazanes les encanta hacer durante horas. Un poco de televisión está bien, pero en exceso es un desperdicio total, una actividad del cuadrante 4 que no es urgente ni importante (ve los cuadrantes del tiempo en la página 24). ¿Sabías que el adolescente estadounidense medio ve televisión 21 horas por semana? Y luego se quejan de que no tienen tiempo. Hmm...

BUSCATIEMPO: recuerda los últimos siete días. Suma el tiempo que dedicaste a ver televisión o películas en ese lapso, incluido el fin de semana. Sé sincero y anótalo en el Buscatiempo en la sección "Horas dedicadas a esto la semana pasada". Ahora, ¿cuánto tiempo crees que puedes quitarle sin desmoronarte? Anótalo en "Horas que podría ahorrar cada semana".

Reduce tu gastatiempo personal (GP)

Todos realizamos algunas actividades del cuadrante 4, donde vive el vago, que nos hacen perder tiempo. Yo las llamo gastatiempos personales o GP. Cada quien tiene los suyos: puede ser entretenerte demasiado al teléfono enviando mensajes de texto, jugando con el PlayStation o Xbox, de compras, maquillándote, reacomodando tu cuarto o leyendo revistas. Necesitas tiempo para relajarte y descansar. No digo que te deshagas de tu GP, sino que lo recortes un poco. Conozco a un chico de 16 años, Miguel Juan, que pasa de dos a tres horas diarias comprando y vendiendo zapatos en eBay. Seguro que podría recortar ese tiempo a la mitad sin enloquecer.

 BUSCATIEMPO: *Anota tu GP en el Buscatiempo. Ahora recuerda los últimos siete días y anota cuánto tiempo le dedicaste. Luego anota cuánto tiempo podrías recortarle sin sufrir un grave síndrome de abstinencia.*

¿Cómo invertir mi tiempo con excelencia?

Una frase poderosa que debes atesorar toda tu vida es: "haz unas cuantas cosas con excelencia en vez de muchas cosas con mediocridad".

Di que no con una sonrisa

El cuadrante 3, hogar del hombre del eterno sí, es el infierno (ve los cuadrantes del tiempo en la página 24). Por quedar bien con todos y no perderte nada, dices que sí a todo y te saturas de actividades. Está bien que participes en deportes, te

ENRIQUE, QUIZÁ TIENES DEMASIADAS ACTIVIDADES.

asocies a clubes y realices otras actividades, pero no exageres. Lo primero que hay que analizar es tu trabajo. Unos dos tercios de los preparatorianos estadounidenses trabajan a medio tiempo durante el año escolar. Pregúntate: ¿de verdad necesito trabajar mientras estudio? Algunos deben hacerlo para ayudar a mantener a su familia, pero muchos otros no. Lo poco que ganas para comprarte ropa u otras cosas no vale la pena si el trabajo afecta tu rendimiento escolar.

Me gusta lo que dice el escritor y maestro Tomás Sinamor: "Hay quienes alegan que el trabajo enseña a ser responsable y a funcionar en el mundo real. Una manera mejor de aprender a ser responsable es inscribirse en los cursos más difíciles y terminar las tareas a tiempo y bien. ¿Quién está mejor preparado para el mundo real: alguien con aptitudes matemáticas y científicas o alguien con capacidad para voltear hamburguesas y dar el cambio en una caja registradora?"

Pregúntate: "¿Quiero abarcar mucho?" Si participas en demasiadas actividades y sientes que has perdido el control de tu vida, descarta las menos importantes y concéntrate en las pocas esenciales. Empieza a decir que no y dilo sonriendo, como aprendió Isabel, de la Preparatoria Hilliard Darby.

Una vez me pidieron que editara un video de tercer año. Yo no tenía idea de cómo editar videos. Al final tuve que decirle al en-

cargado que no podría hacerlo. Me costó mucho trabajo porque no quería parecer irresponsable. He llegado al punto de tener que aprender a decir que no.

Simplifica. Haz unas cuantas cosas con excelencia en vez de muchas cosas con mediocridad.

 BUSCATIEMPO: elige una actividad poco importante de las que sueles realizar y anótala en el Buscatiempo. Anota cuánto tiempo le dedicaste en los últimos siete días, incluido el fin de semana. Luego anota cuánto tiempo crees que ahorrarías si la redujeras o la abandonaras.

OCÚPATE PRINCIPALMENTE DE:

Asistir a todas tus clases

"El 80% del éxito consiste en estar presente", dijo el gran cineasta Woody Allen. Muchos chicos no asisten a clases y luego se preguntan por qué sacan malas calificaciones. Si lo haces, te ocurrirán cosas buenas: estarás presente en el examen sorpresa, te enterarás  cuando tu maestro anuncie un trabajo que te dará puntos extras y cuando sugiera cómo prepararse para el siguiente examen.

Saluda y respeta a tus profesores; sé amable para que ellos sean comprensivos contigo y de vez en cuando te den un respiro.

Si quieres, puedes llamar a esto adulación. Yo lo llamaría inteligencia.

Ten hábitos de estudio inteligentes:

- **ALIMENTA TU MENTE.** *El cerebro, para funcionar bien, necesita nutrientes. Antes de ponerte a estudiar come alguna fruta fresca o seca, verdura, nueces o almendras y toma agua natural o fresca.*

- **TEN UN LUGAR ADECUADO PARA ESTUDIAR.** *Que sea un lugar tranquilo, bien iluminado y alejado de donde sueles pasar el tiempo. Ten todos tus útiles y herramientas de estudio a la mano para no tener que levantarte constantemente.*

- **BUSCA EL MOMENTO ADECUADO.** *Reserva un momento para hacer la tarea cada día. Evita las interrupciones. Si te cuesta concentrarte, haz la tarea por partes varias veces al día. Por ejemplo, trabaja 15 minutos, descansa y date un premio, después vuelve a trabajar otros 15 minutos y así sucesivamente a lo largo del día.*

- **AHORA Y DESPUÉS.** *Organiza lo que tienes que hacer. Primero concéntrate en el ahora y haz todo lo que debas entregar mañana. Entonces concéntrate en el después y trabaja un poco en proyectos grandes, trabajos y exámenes para los que falta más tiempo.*

- **HOJEA, LEE Y REPASA.** *Digamos que tienes una hora para estudiar para el próximo examen de historia sobre el capítulo 9. En vez de sólo leer tu libro de texto y tus apuntes durante una hora, prueba este método (se basa en probados métodos de retención que existen desde hace mucho):*

  Hojea. Toma nota escrita o mental de las ideas principales.
  Lee tus apuntes.
  Repasa. Hazte una prueba sobre lo que estudiaste.

Nunca olvides: El fin principal de la educación escolar no es conseguir un buen empleo, sino construir una mente fuerte que aumente la conciencia de uno mismo, la capacidad, la satisfacción y las posibilidades de servicio, lo cual, por cierto, debería servirnos para obtener un empleo mejor.

Y hablando de empleo: seré claro. Lo que gana cada quien y el tipo de trabajo que desempeña no tiene que ver con lo que vale. Todo trabajo es digno, lo mismo los bien pagados (como el médico) que los mal pagados (como el cajero del supermercado). El punto es que una educación superior te da más opciones. La mayoría de las personas con trabajos mal pagados no están en ellos por elección sino por necesidad. Preferirían un empleo mejor remunerado, pero no pueden conseguirlo porque no tienen las aptitudes necesarias.

Tu mente es de veras fenomenal. No la desperdicies; edúcala. Después de todo, lo que hagas con esa masa de materia gris que tienes entre las orejas es una de las seis decisiones más importantes que tomarás en la vida. Espero que elijas el camino correcto quedándote en la escuela, dedicándole tu

CARRERA

mayor esfuerzo (aunque no tengas ganas) y preparándote para la universidad y para una gran carrera basada en aquello que naciste para hacer. Si llevas años deambulando por el camino equivocado, desvíate al correcto hoy mismo. Claro que tendrás que ponerte al corriente, pero más vale tarde que nunca.

Alicia, de la Preparatoria Allen East, lo expresó así: "La educación es como la red de seguridad del circo. Si te caes durante el acto, te salva la vida". Coincido totalmente. Con preparación, puedes perder el empleo y encontrarás otro. La seguridad laboral no es tener un empleo fijo, sino ser capaz de conseguir un buen trabajo en cualquier momento y en cualquier lugar porque vale la pena darte empleo, porque sabes agregar valor.

DECISIÓN 2

AMIGOS

¡Qué simpático...
y voluble!

¿A quiénes elegirás como amigos y qué clase de amigo serás? Puedes tomar el buen camino escogiendo amigos que te hagan crecer, siendo leal y manteniéndote firme ante las presiones negativas del grupo. O puedes tomar el camino equivocado eligiendo amigos que sean una mala influencia, siendo leal sólo en las buenas y cediendo a las presiones. Como ocurre en el caso de la escuela, aquello por lo que optas con respecto a los amigos no es decisión, sino una serie de decisiones que tomas una y otra vez en el transcurso de muchos años.

Nada se compara con tener un mejor amigo, alguien con quien puedes ser tú mismo por completo. En palabras de un joven sabio: "Los amigos son el instrumento con el que Dios nos cuida". Aun así, los amigos a veces se vuelven en tu contra, cuentas chismes a tu costa o te irritan al grado de querer noquearlos.

Lidiar con amigos volubles o inconsecuentes parece ser un desafío común de la amistad. Otras pruebas frecuentes son superar el juego de la popularidad, aguantar las pequeñas rarezas de los amigos, sobrellevar los chismes y a los bravucones y padecer comparaciones y competencia.

A lo largo de esta sección hablaremos sobre cada uno de estos problemas. También te daré algunos consejos "salvavidas" en forma de pequeños recordatorios. Aquí está el primero:

Elige amigos constantes que te quieran por lo que eres, y no amigos volubles que te quieran por lo que tienes.

A nadie le gusta que un amigo se vuelva posesivo y nos quiera sólo para él, pero eso es lo que ocurre cuando centramos nuestra vida en los amigos. Si quieres perder a tus amigos, centra tu vida en ellos. Como lo expresó el joven escocés Paul Jones:

"Da espacio a tus amigos y no te aferres a ellos; si vale la pena conservarlos, siempre contarás con su apoyo".

Haz todos los amigos que puedas, pero nunca centres tu vida en ellos.

Consejo salvavidas: haz todos los amigos que puedas, pero nunca centres tu vida en ellos.

Popularidad. Como casi todas las cosas de la vida, la popularidad tiene su lado bueno y su lado malo.

Por el lado malo, el término "popular" se refiere a gente presumida, petulante, mimada, que se cree mejor que los demás, como esos chicos bien parecidos que dicen las cosas apropiadas y usan la ropa correcta. Aunque se sienten adorados por todos, muchos los odian, de modo que en realidad son populares sólo entre ellos. La popularidad se ha vuelto el centro de su vida. Pero la popularidad en sí no es mala; se vuelve mala cuando quien la tiene empieza a sentirse mejor que los demás.

Por el lado bueno, todos conocemos personas queridas y respetadas porque son de verdad decentes: amigables con todos, sencillas y que a menudo se han esforzado para destacar en algo. Mi amigo Duane era una de esas personas. Todas las chicas de la preparatoria en la que íbamos lo designaron el "preferido". Era un gran deportista, y no por eso dejaba de ser amable con todos. Era popular en el mejor sentido de la palabra.

La popularidad es un adorno secundario de la grandeza de la persona porque se basa en cosas externas a las que la sociedad en general les atribuye un valor exagerado: fama y fortuna, belleza y músculos, todo lo cual no tiene nada de malo, pero que al final resulta no ser tan importante ni duradero.

La verdadera grandeza no está en el exterior, sino en lo que *eres realmente por dentro*; en tu carácter: ¡eso sí es duradero! ¿Y sabes cuándo se pondrá a prueba tu verdadero carácter?... ¡En los momentos de adversidad y desazón que te puedan producir tus amigos! ¿Cómo responderás ante ellos?

No intentes ser popular. Mejor sé tú mismo; sé amable con todos y te pasarán cosas buenas.

Deja de aparentar lo que no eres sólo por "pertenecer" a un grupo. Una chica de prepa, Reyba Cooke, lo expresa así: "Para que el grupo me aceptara tendría que usar cierta ropa, ser más desenvuelta, ir a fiestas, fumar mariguana y tomar cerveza. Es degradante".

Los jóvenes satisfechos consigo mismos y que tienen verdaderas y sólidas amistades no son malintencionados, les agradan sus padres, opinan que se ha sobreestimado la popularidad y no "mueren" por ser invitados a todas las fiestas y antros; por el contrario, están demasiado ocupados escribiendo en el periódico de la escuela, practicando algún deporte en equipo, son voluntarios de servicios a la comunidad que tiene la escuela, asisten a eventos sociales de interés, etcétera.

Si estás cansada de aparentar ser "la reina de la popularidad" o aspirante a serlo, entonces sé tú misma sin miedo a convertirte en una "perdedora".

Aunque no debes juntarte con amigos que suelen hacer maldades o actuar como patanes, debes tolerar las debilidades cotidianas de tus amigos y no reaccionar en forma exagerada a los pocos errores que cometan.

Perdona sus pequeñas rarezas, fallas, debilidades e inconsecuencias, así como esperas que ellos perdonen las tuyas.

Kevin nos contó esta historia:

Un día, antes de la práctica de beisbol, mandé mi bebida a las gradas y fui al baño. Cuando volví, le di un buen trago a mi refres-

co. Todos soltaron una carcajada. Me enteré de que alguien había escupido en mi vaso, pero, en vez de explotar delante de todos, puse "pausa" en mi mente. Acababa de leer *Los siete hábitos* y ensayé mentalmente la toma de decisiones proactivas y no reactivas.

Al poco rato fui con el compañero que había escupido en mi vaso y le pregunté por qué lo había hecho. Hablamos, él se disculpó y yo lo perdoné porque era mi amigo. Esa noche me fui a casa sintiéndome bien conmigo mismo porque había tomado la decisión de hablar y conservar nuestra amistad. Me di cuenta de que a veces con los amigos hay altibajos normales y lo mejor es no reaccionar de manera exagerada, sino perdonar y olvidar.

CONSEJO #5 SALVAVIDAS

Perdona con facilidad los pequeños defectos de tus amigos, así como esperas que ellos perdonen los tuyos.

Hay un tiempo para perdonar a nuestros amigos cuando se equivocan, pero también llega la hora de ponerles un límite.

Si alguien inventa chismes sobre ti, puedes hacer varias cosas. Primero, quizá quieras hablar con la persona. En vez de pagarle con la misma moneda, acude a ella y dile algo como: "Sé que has hablado a mis espaldas. Te agradecería que no lo hicieras. Cuando me conoces, no resulto tan mala persona". Se necesitan agallas, pero esto a menudo los deja callados, sobre todo si se lo dices controlando tus emociones. Aun así, ten cuidado. Hay personas tan mezquinas que hablarles de frente podría agravar el problema.

RECUERDA: TODO LO QUE HACES SE REVIERTE.
SI DAS VENENO, TARDE O TEMPRANO VOLVERÁ
PARA ENVENENARTE.

A pesar de que yo no recomiendo la violencia como medio para resolver problemas, estoy convencido de que la defensa personal tiene su momento y su lugar. Lee a continuación la experiencia que vivió Brandon Beckham, en la que supo elegir lo correcto en defensa personal:

Cuando empecé la secundaria, me acosaban y golpeaban. Yo era un chico bajito y no está en mí pelear. Mi madre me aconsejaba poner siempre la otra mejilla. Mi padre me decía que no buscara pleitos, pero que me defendiera si era necesario.

Un día estaba en clase de gimnasia con un amigo y el resto de la clase esperando al maestro. Hice un breve contacto visual con un chico que estaba al otro lado del salón.

En seguida él reaccionó y empezó a gritarme groserías: "¿Qué ·$%@ ves?" Yo no respondí nada y miré hacia otro lado. Él se me acercó gritando más insultos, me amenazó y dijo que me levantara a pelear. Yo me levanté, pero me dirigí hacia el otro lado. A esas alturas todos estaban de pie, azuzándonos. Yo seguí alejándome. Él me siguió, gritando insultos racistas y ofendiéndome. El maestro *ya habría debido llegar, pero ni rastro de él. El bravucón empezó a empujarme y a decirme que le diera la cara para golpearme. Al cabo de 10 minutos así, sentí que era cuestión de defensa personal. Mientras me seguía, reduje el paso hasta que me alcanzó; doblé el brazo y le di un brusco y potente puñetazo en la nariz. Él cayó al suelo, atónito. Le salía sangre de la nariz e intentaba contenerla con las manos. Me miró aturdido. Me lancé contra él, pero sus amigos me apartaron. Lleno de adrenalina, me escabullí dejándoles la camiseta y escapé ileso.*

¿Por qué me cambio esta experiencia? Porque me di cuenta de que soy perfectamente capaz de defenderme solo si hace falta. Me volví más seguro y mis compañeros empezaron a respetarme por haberme enfrentado al bravucón. Decidí que ya no aguantaría más abusos.

Si tus compañeros murmuran de ti o un bravucón te acosa, enfréntate a ellos o encuentra la manera de que no te afecte.

Mi mejor amigo en la primaria era un niño llamado Pau. Jugábamos en los mismos equipos de tenis, básquetbol, béisbol, natación y futbol. Nos quedábamos a dormir uno en la casa del otro. Éramos inseparables, los mejores amigos del mundo.

Cuando entramos a la preparatoria, nuestros caminos se apartaron. Paul no me abandonó ni yo lo abandoné; simplemente cambiaron nuestros intereses. Él optó por el basquetbol y yo por el futbol. Empezamos a salir con amigos distintos. Seguíamos sintiendo un fuerte lazo, pero dejamos de hacer muchas cosas juntos.

Acepta que tus amigos y tú cambian y está bien. Tu mejor amigo este año puede no serlo el próximo, sobre todo si cambias de nivel académico, como de secundaria a preparatoria. Hay una gran diferencia entre abandonar a tus amigos y hacer nuevas amistades porque tus intereses han cambiado. Así que no te alteres si de manera natural empiezas a alejarte de un amigo porque sus respectivos intereses los llevan en direcciones distintas.

Consejo salvavidas: recuerda que está bien que tú y tus amigos cambien y adquieran intereses distintos.

Si anhelas entablar sólidas amistades y conservarlas además de ser un buen amigo, te presentaré seis pasos básicos para lograrlo.

NO TE APRESURES A JUZGAR A LOS DEMÁS

Cerciórate muy bien de lo que vayas a decir antes de expresarlo. Como dice el dicho: "Que tus palabras sean suaves y dulces, ¡por si tienes que tragártelas!"

En la Preparatoria Hilliard Darby, en Ohio, la maestra Susan Warline organizó un Día de Integración para promover la tolerancia y ayudar a los alumnos a salir de sus círculos íntimos y conocerse mejor. Ese día, en el almuerzo, animó a los jóvenes a conversar con compañe-

SERÉ SINCERA, AMANDA. A VECES JUZGAS DEMASIADO A LOS DEMÁS

ros a quienes nunca habían dirigido la palabra.

En el almuerzo, una alumna somalí refugiada de la guerra y la pobreza que desgarran su país preguntó sin rodeos a un compañero: "¿Por qué nos llaman 'somalíes malolientes'?"

"¿Qué vienen a hacer aquí?", replicó él. "¿Por qué no vuelven a su país?".

Ella guardó silencio unos segundos y luego le contó cómo había presenciado la matanza a tiros de toda su familia, menos un hermano y algunos primos que escaparon. Agregó que Somalia estaba en poder de militares y habló de la gratitud que sentían ella y sus familiares sobrevivientes por vivir en un país libre.

TEN LA INICIATIVA

Conozco a una joven que siempre se queja de que sus amigos no se esfuerzan por tenderle un lazo, pero cuando la veo interactuar con ellos, me doy cuenta de que ella tampoco hace esfuerzo alguno por acercarse.

Si quieres hacer amistades, sé proactivo y ten la iniciativa. No esperes que ellos acudan a ti. "Hay mucho que esperar con la boca abierta para que nos entre volando un pato asado", dice un refrán chino. Debes ser tú quien dé el primer paso y, si al principio fallas, debes perseverar. No te encierres en ti mismo ni en la autocompasión. Me encantan las palabras del orador motivacional Og Mandino:

"Confía siempre en que las cosas cambiarán

Aunque tengas un pesar en el corazón, el cuerpo herido, el bolsillo vacío y no haya quien te consuele, aguanta. Así como sabes que mañana saldrá el sol, también debes creer que tu tiempo de infortunio acabará. Así ha sido siempre. *Así será siempre."*

SÉ UN AMIGO CONFIABLE

Las relaciones que perduran y son saludables están basadas en la *confianza*. Cinco cosas grandiosas que puedes hacer para ganar confianza y reputación de excelente amigo son:

- Ten pequeños gestos de bondad
- Pide perdón por tus fallas que lastiman a tus amigos
- Sé leal
- Cumple tus promesas
- Y sé un *gran escucha*. Reflexiona en esto:

"Todo el mundo oye lo que dices. Los amigos escuchan lo que dices. Los buenos amigos escuchan lo que no dices".

Ahora, cinco cosas seguras que puedes hacer para acabar con una amistad son:

- Haz pequeñas y continuas maldades
- Sé orgulloso. No te disculpes. Ten siempre la razón
- Murmura y habla a espaldas de la gente
- Rompe tus promesas
- Habla mucho e interrumpe a los demás

tú decides...

SÉ MÁS SIMPÁTICO

No puedes caerle bien a toda la gente, pero puedes aumentar tu simpatía. ¿Cómo? Siendo consciente de tus debilidades y tratando de corregir las que se pueden corregir. Si te cuesta trabajo tener amigos, quizá te ayude echarte un vistazo para ver si eres alguien con quien *quisieras tú mismo estar*.

De vez en cuando hazte las siguientes preguntas y cambia lo que creas necesario:

- ¿Te han dicho que eres pesado, ruidoso, imprudente o que no cierras la boca?
- ¿Le preguntas a la gente cómo está o todo gira siempre en torno a ti? ¿Apenas dejas hablar a quienes te rodean?
- ¿Podrías tener una mejor higiene, bañarte, usar desodorante o lavarte el pelo y la ropa más a menudo?

ES PORQUE NO DEJAS DE COMERNOS, GERARDO. POR ESO NADIE QUIERE SER TU AMIGO.

- ¿Te vistes adecuadamente? ¿Usas ropa demasiado ajustada, pasada de moda o estrafalaria? ¿Te pones maquillaje en exceso? ¿O te falta un poco?

48

- ¿Te crees mejor que los demás? ¿O te pasas la vida menospreciándote, diciendo que eres un perdedor y que todo el mundo te odia?
- ¿Te tomas demasiado en serio o te gusta hacerte el gracioso y tomar todo a broma?

En cuanto a volverte más simpático, dedícate a las cosas que puedes controlar y olvida las que no. No puedes controlar tu estatura, tu fisonomía ni tu complexión general, pero sí tu higiene personal, tu aptitud física, tus modales, tu forma de vestir y tu porte.

ANTE LA GROSERÍA, SÉ AMABLE

A menudo habrás escuchado: "¿Por qué he de ser amable con él, si él es tan grosero conmigo?" Es fácil tratar bien a quienes son amables contigo. Cualquiera puede hacerlo. El verdadero desafío es tratar bien a quienes no son amables contigo. Cualquiera puede hacerlo. El verdadero desafío es tratar bien a quienes son groseros, ser amable ante la descortesía, pero actuar así obra milagros.

Abraham Lincoln solía ser criticado por tender lazos amistosos a sus enemigos en vez de deshacerse de ellos. Él respondía: "¿No es eso lo que hago cuando convierto en amigo a un enemigo?"

ANIMA A LOS DEMÁS

Conozco a un joven llamado Kyle, quien de chico pertenecía a un grupo de amigos del mismo barrio. En el último año de preparatoria se mezcló con una pandilla de jóvenes pendencieros y se sintió demasiado importante para seguir llevándose con sus viejos amigos. Una vez, sus nuevos amigos le dieron drogas y lo dejaron en su casa con un terrible "viaje" que casi lo mata.

Cuando Kyle terminó un programa de rehabilitación, sus padres pidieron a sus viejos amigos que volvieran a recibirlo y ellos, en vez de excluirlo, así lo hicieron.

Al principio era incómodo estar con él porque se vestía como rufián y alardeaba de las drogas que había probado. Ningún joven del barrio se drogaba y no querían tener nada que ver con ese estilo de vida, pero fueron pacientes y siguieron invitándolo a jugar basquetbol y a participar en actividades juveniles de la iglesia. Poco a poco cambió sus modales y su forma de vestir, hasta que se asimiló al grupo. Volvieron a tener intereses comunes en los deportes y el alpinismo y empezaron a reunirse en casa de los distintos compañeros.

Un año después, gracias a los amigos que lo apoyaban y a base de esfuerzo y compromiso, Kyle cambió radicalmente de vida. Incluso inspiró a sus viejos amigos para que superaran sus propios retos, porque se dieron cuenta de que eran pequeños, comparados con los de él.

Kyle tuvo dos tipos diferentes de amigos: uno que lo destruyó y sacó lo peor de él y otro que lo regeneró e hizo surgir su mejor parte.

¿Qué clase de amigos tienes tú? La prueba decisiva es: ¿eres mejor cuando estás con ellos? ¿Toman mejores decisiones tus amigos cuando estás con ellos?

Analiza con mucho cuidado qué tipo de presión ejercen los compañeros sobre ti. ¿Qué es exactamente la presión de los compañeros? Es cuando la gente de tu edad te presiona para actuar de determinada manera. Es positiva si los compañeros esperan cosas buenas de ti y negativa cuando te convences de ser conformista o hacer cosas que no te convienen, como faltar a clases, robar en una tienda, tener relaciones sexuales, drogarte, mentir, cometer actos de vandalismo, maldecir, vestir de cierta manera, esparcir rumores y abusar de los débiles, entre otras cosas.

Cedes porque quieres ser aceptado, complacerlos y no atraer la atención hacia ti. Quieres ser como todos los demás.

Una joven danesa, Mette, cuenta cómo se sintió presionada para molestar a alguien:

Una vez, en la preparatoria, fui a una fiesta con unos chicos de mi clase. En eso llegó un joven con una enfermedad que lo hacía retener líquido, por lo que estaba muy gordo. Mis compañeros empezaron a echar suertes para ver quién le daba un puntapié por detrás y le preguntaba por qué tenía senos. Yo perdí e hice algo de lo que me he arrepentido millones de veces. Me sentía muy presionada porque iban a despreciarme si no lo hacía. Me acerqué al chico, dije lo convenido y corrí al baño. Me gané la admiración de mis compañeros, pero me sentí muy mal. Nunca me he disculpado con él, ni me atrevo a mirarlo a los ojos. Mis compañeros siguen riéndose de eso y me palmean la espalda, pero a mí me remuerde la conciencia. Como a mí también me han molestado, me sorprendió haber sido capaz de maltratar a otra persona.

Tus antídotos para la presión negativa de tus compañeros son:

- *Ten metas valiosas que te apasione trabajar por convertirlas en realidad.*

- *Rodéate de amigos, familiares y adultos de confianza que te inspiren para ser lo mejor posible.*

- *Si has tomado muchas decisiones malas en cuanto a la elección de tus amigos, no te tortures y aprende de ellas. Puedes tomar mejores decisiones a partir de ahora.*

PADRES

¡QUÉ VERGÜENZA!

¿Te vas a llevar bien con tus padres?

Hemos llegado a la tercera decisión que representa una bifurcación del camino: **los padres.**

¿Qué harás con respecto a la relación que tienes con ellos? ¿Por qué es ésta una de las seis decisiones más importantes de tu vida? Porque, quieras o no, ellos serán parte de tu vida durante mucho tiempo. Dentro de 10 años ya no tendrás los amigos que ahora tienes. Tú crees que sí, pero te equivocas. Tomarán caminos distintos y esto no ocurre con tus padres.

Es probable que vivas con uno de ellos o con ambos hasta los 18 o 19 años y a partir de entonces, según cómo se lleven, serán un gran apoyo o un tremendo dolor de cabeza durante varias décadas. Te acompañarán en todo tipo de sucesos, como graduaciones y bodas, nacimientos y muertes, dichas y desdichas. ¿Entiendes ahora por qué es tan importante tu relación con mamá y papá?

Tal vez tu situación de padres sea diferente y estés viviendo con un tío, un padrastro, sólo con tu mamá o papá o cualquier otro tutor. Entonces, cada vez que veas las palabras padres o papá o mamá, piensa en la que corresponda a tu situación. No se necesita un lazo de sangre para ser familia; sólo se necesita amor.

Entonces, ¿qué camino tomarás? Puedes elegir el camino correcto cultivando buenas relaciones, buscando soluciones para los problemas y mostrando amor y respeto, o puedes tomar el camino incorrecto renunciando a las buenas relaciones, peleando o poniendo mala cara cada vez que tienen un desacuerdo y no mostrando ningún respeto.

Si estás decidido a seguir el camino correcto que construya saludables y enriquecedoras relaciones con tus papás, aquí aprenderás varias estrategias sensacionales que te ayudarán a lograr tus objetivos. ¡Aquí vamos!...

—¿QUÉ PASÓ, HERMANO?

—QUE ME CANCELÓ LA CUENTA POR SOBREGIRO.

DILES SIEMPRE LA VERDAD

Recuerda que nada destruye tanto la confianza que te tienen tus padres como mentirles. Puede llevar meses o incluso años el recuperarla. En palabras de un joven: "Sé honesto, aunque sea duro decir la verdad; para tus padres es diez veces más duro darse cuenta de que has mentido".

Lo cierto es que tarde o temprano se van a enterar. Los padres tienen un asombroso olfato para las mentiras y saben si estás callando algo, así que sé sincero con ellos, pues la honestidad nunca pasa de moda.

IDENTIFICA LAS TAREAS QUE TE CORRESPON DE HACER Y HAZLAS ¡DE INMEDIATO!

¿Hay que lavar los platos? ¿Tu hermana menor necesita que la lleven a casa? ¿Debe quedar limpio y ordenado tu cuarto? ¿Necesita terminarse y bien hecha la tarea? *¡actúa de* *inmediato en todo esto, pues obra milagros*! De cualquier manera sabes perfectamente que tendrás que hacerlas tarde o temprano. Cuanto más las retrases, más disgusto provocas en la familia y mayor malestar en tu interior.

"Mis padres nunca han esperado gran cosa de mí", dijo Ryan, de 13 años. "Hago la tarea de las escuelas y algunas cosas de la casa, pero eso es casi todo. Una vez que mi mamá estaba muy cansada después de la cena, me ofrecía a limpiar la cocina. Casi se muere de la impresión. Me dio gusto que se relajara un poco."

RECUERDA LOS DETALLES

En las relaciones, los detalles cuentan mucho. ¿Qué son los detalles? Una palabra amable, una sonrisa cálida, una nota de agradecimiento. Gabby me contó esta historia:

"Aunque mi relación con mamá no es terrible, tenemos problemas. Decidí escribirle una nota diciéndole cuánto significa para mí; se la puse en el coche cuando me llevó a la escuela. Cuando volví a casa, mamá me sorprendió esperándome en la puerta y dándome un fuerte abrazo. Me dijo que era el mejor regalo que le había dado en la vida... una sencilla nota de agradecimiento y reconocimiento de todo lo que hace".

ÁBRETE

A los adolescentes les cuesta mucho pedir consejo a sus padres, pero conviene hacerlo porque, aunque ellos no sean modernos, sueles ser sabios. Tú estás más actualizado en moda y tendencias, pero ellos saben más sobre amor y felicidad. Son especialmente buenos para ayudarte a lidiar con traiciones, resolver dificultades relacionadas con novios y novias y hacerte sentir mejor cuando has tenido un día horrible.

Una vez un viejo amigo de la familia me dijo: "Sean; si hablas con tus padres de todas las decisiones importantes en tu vida, nunca cometerás un error grave". Su consejo fue tan peculiar que nunca lo olvidé y he tratado de seguirlo.

¡ME EXASPERAS!

Como todos sabemos, los padres pueden ser exasperantes. En particular éstas son cinco de las quejas principales:

- Mis padres siempre me comparan.
- Mis padres nunca están satisfechos.
- Mis padres me avergüenzan.
- Mis padres son sobreprotectores.
- Mis padres se pasan la vida peleando.

Por cada queja tienes una decisión que tomar. Puedes dejar que el problema te vuelva loco o acabe contigo, o encontrar formas de lidiar con él.

Si tienes dificultades con el modo de ser de tus padres, no desperdicies tus energías en las cosas que no puedes controlar, como sus debilidades o sus hábitos desagradables. Mejor concéntrate en lo que sí puedes controlar, como tu actitud y tus reacciones a lo que ellos hacen. No puedes tomar decisiones por ellos, sino sólo por ti. A continuación te presentaré algunas sugerencias de lo que sí puedes hacer ante las cosas que te exasperan de tus papás.

MIS PADRES SIEMPRE ME COMPARAN

Por alguna extraña razón y con la mejor de las intenciones, los padres piensan que compararte con alguien te motivará, pero, como todo adolescente sabe, sucede lo contrario.

La próxima vez que te comparen con un hermano, amigo o dios griego, di algo así como: "¿Saben qué? Me duele mucho que me comparen con tal persona. Yo soy diferente y les agradecería que no volvieran a hacer ese comentario".

Todos venimos en diferentes formas y tamaños, pero todos tenemos un valor infinito y no deben compararnos con nadie. Ruth Vaughn lo afirma así:

ERES UNA personalidad única, QUE NUNCA HA EXISTIDO NI VOLVERÁ A EXISTIR.

Aquilata la importancia de esto.

ATENEA
Diosa de la sabiduría, las artes y la industria

MIS PADRES NUNCA ESTÁN SATISFECHOS

Serina me contó:

"Mi papá y yo no nos llevamos bien. Él cree que podría irme mejor en la escuela, aunque saque seis dieces y dos ochos. Lo único que pudo decirme fue: 'Sube de calificaciones y asistencias'. Me hizo enojar muchísimo".

Éste es un desafío típico que yo llamo el síndrome del que nunca está conforme. Tus padres te presionan constantemente. Parece que no puedes hacer nada bien. Quieres que estén orgullosos de ti, pero parece imposible complacerlos.

Si te sientes así, no pienses que tus padres no te quieren. Como ocurre con las comparaciones, a menudo no se dan cuenta de lo que hacen y tienen buenas intenciones. Quizá así los educaron. Cuando eres padre, no te dan un manual para hacerlo maravillosamente.

Algo que puedes probar es destacar las cosas buenas que haces. Por ejemplo, Sarina podría decir: "Sí, puedo hacerlo mejor, papá, pero tienes que reconocer que sacar seis dieces en el último periodo es bastante bueno, y mucho mejor que el año pasado".

MIS PADRES ME AVERGÜENZAN

Nací en Irlanda, donde mi familia vivió algunos años y de donde mi mamá tomó algunas tradiciones. Cuando volvimos a Estados Unidos, todos los días de San Patricio se presentaba en mi escuela primaria con un peinado enorme y una inmensa caja de galletas en forma de trébol y, con voz de cantante de ópera, entonaba un popurrí de canciones populares irlandesa. Mis maestros y compañeros siempre se divertían mucho, pero yo me escondía debajo del pupitre.

Papá era todavía más embarazoso. Cuando íbamos al cine y le daba sueño, doblaba su chaqueta en forma de almohada y se acostaba a dormir en el pasillo. Una vez nos llevó a mis hermanos y a mí a ver una obra en Broadway y a la mitad de la representación desapareció misteriosamente y reapareció a la media hora con bolsas de comida china.

Quizá tu mamá y tu papá te avergüencen como los míos o estén fuera de onda en lo que se refiere a la moda y a la música. ¿Y qué? Por lo general están muy en onda en lo relativo a las cosas importantes; por ejemplo, cómo recuperarte cuando tu novio o novia te dejaron.

Por si no lo has notado, tienen bastante más experiencia que tú. Como dice Anya,

estudiante de Florida: "¡Han vivido tanto! Mis padres son mi fuente de consulta número uno sobre el mundo".

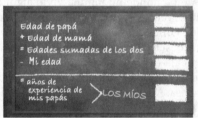

De seguro tus padres son más listos de lo que crees. Una vez leí: "Quisiera ser sólo la mitad de maravilloso de lo que me consideraba mi hijo pequeño y sólo la mitad de estúpido de lo que me considera mi hijo adolescente".

MIS PADRES SON SOBREPROTECTORES

¿Sientes que a veces tus papás son demasiado sobreprotectores? De las siguientes afirmaciones, marca aquellas que se apliquen a tus padres:

☐ **Siempre tienen que saber exactamente dónde y con quién estoy.**

☐ **Me fijan una hora de llegada estricta.**

☐ **Siempre me sacan de los problemas en que me meto.**

☐ **Juzgan a los amigos con quienes me llevo.**

☐ **Son muy selectivos respecto a con quién salgo.**

☐ **Si cometo un error, me aumentan las restricciones.**

☐ **Son entrometidos y no respetan mi intimidad.**

☐ **Son muy estrictos y ponen demasiadas reglas.**

Si marcaste muchas de las afirmaciones anteriores, hay dos conclusiones posibles: o tus padres no te tienen confianza o se preocupan demasiado por ti. En la mayoría de los casos los padres sobreprotectores simplemente se preocupan en exceso y lo demuestran fijando muchas reglas y queriendo saberlo todo. Que no te afecten las reglas. Después de todo, si tuvieras que elegir, ¿no preferirías unos padres aprensivos a unos que no parecen preocuparse en absoluto?

Uno de los mayores desafío es la hora de llegada. A tus padres les gusta y a ti no. Quieran o no, la mayoría de los adolescentes tienen horas de llegada, aunque no lo admitan. Para los jóvenes, las horas de llegada se inventaron para arruinar-

"El viernes llegaste casi a las nueve de la noche, ayer tomaste refresco en vez de leche y hoy no usaste el hilo dental. A tu padre y a mí nos preocupa que te estés descarriando."

© 1999 Randy Glasbergen. www.glasbergen.com

les la vida. Lo que pasa es que a tus padres les preocupan las drogas, los conductores ebrios y los psicópatas que rondan en la noche. Parece ridículo, pero es cierto. Sin embargo, una hora de llegada también puede serte ventajosa. Si alguna vez tienes que zafarte de una situación incómoda, échale la culpa a tu hora de llegada: "Lo siento, pero tengo que irme. Es la estúpida hora de llegada que tengo".

MIS PADRES SE PASAN LA VIDA PELEANDO

¿Tu hogar es apacible o un campo de batalla? Como dijo una joven: "Mis padres pelean y discuten mucho. Casi siempre se contentan, pero me asusta". En situaciones así no puedes controlar otra cosa que a ti mismo. No puedes cambiar a tus padres, pero puedes decidir no gritar ni tomar partido. Puedes ser agradable, conciliador y es un buen comienzo.

Daniela se enfrentó precisamente a ese desafío:

Mis padres no se llevaban bien. Un día, cuando yo tenía 15 años, pelearon como de costumbre y me fui a dormir. Lo siguiente que recuerdo fue que me despertaron los gritos de mi madre diciendo: "¡no te vayas sin despedirte de los niños!".

Me quedé conmocionada cuando papá entró a mi cuarto para decirme que me quería. Me incorporé en la cama y, muerta de pánico, le pregunté qué pasaba. Me dijo adiós y lo único que atiné a contestar fue: "¡Espera!" Pensé que debía hacer algo para que no se fuera.

—¿Podemos hablar? —añadí.

Su cuarto estaba al otro lado del pasillo y los tres entramos y nos sentamos. Les recordé el compromiso que tenían, lo mucho que yo los quería y necesitaba y les pedí que rezaran juntos. Recé en voz alta por todos. Cuando terminé, tenían los ojos húmedos. Papá se levantó, me dio las gracias, me dijo que me quería y se fue.

Lloré casi toda la noche y al día siguiente estuve como zombi en la escuela, pero cuando llegué a casa papá había vuelto. Me explicó que sólo necesitaba un poco de tiempo y tranquilidad para pensar. Creo que mamá también. Yo les había recordado por qué estaban juntos y aprendí, una vez más, que no puedo tomar decisiones por nadie más que por mí.

Esta historia terminó bien, pero no siempre es así. Lo importante es que Daniela fue una influencia positiva y conciliadora en su hogar. Se concentró en lo que podía hacer.

¿Has sentido que tus padres y tú hablan idiomas distintos? Pues en cierto modo así es. Mientras que a ti te preocupa qué dirán tus amigos de tu nuevo corte de pelo, a tus papás les preocupa cómo van a pagar las cuentas. Una historia siempre tiene dos caras. A esto yo le llamo Brecha de Comunicación. Una manera excelente de superar la Brecha de Comunicación es llegar a conocerse mejor. A continuación te propongo *tres hábitos* probados que son la base de toda buena comunicación y que producen una comprensión superior y, por ende, mejores resultados en la relación con tus padres, logrando beneficios importantes para ambos de manera amable.

Piensa siempre en "ganar/ganar". No sólo pienses en lo que tú puedes ganar, es decir, en tus intereses y deseos, pues irónicamente, si te importa lo que ellos quieren, obtendrás mucho más de lo que tú quieres.

Busca primero entender y luego ser entendido. Cuando nadie escucha, no hay una comunicación verdadera. Cuando escuchas sinceramente te das cuenta de que suele haber algo más profundo de lo que se ve en la superficie.

Sinergicen. Cuando tú y tus padres no estén de acuerdo, resuelvan sus diferencias *hablando*. Hay un sencillo proceso de cinco pasos que pueden ayudarlos: 1. define el problema u oportunidad; 2. busca comprender la perspectiva de tus padres; 3. trata de que tus padres comprendan tu punto de vista; 4. evalúen juntos las opciones que tienen, y 5. encuentra la mejor solución.

Veamos un ejemplo sin trabajar estos hábitos y después aplicándolos:

Supón que tu madre y tú tienen una eterna discusión sobre la escuela. Ella se pasa la vida importunándote con que hagas la tarea y saques mejores calificaciones, mientras que tú estás cansado de sus constantes regaños. La mayoría de sus conversaciones suenan así:

—Hijo, sería bueno que apagaras la televisión e hicieras la tarea.

—Relájate, mamá. La hago después. Te lo juro.

—No existe el después. Sólo existe el ahora.

—Te agradecería mucho que dejaras de presionarme. Por si no te has dado cuenta, tus regaños no ayudan.

—Yo no tendría que mencionar tu tarea si de verdad la hicieras, pero no la haces. Es como si no te importara.

—Efectivamente... Soy un perdedor. Déjame en paz.

Esta conversación es demasiado común. Y es inútil. Pelear y discutir no lleva a nada.

Ahora veamos como funciona el plan de sinergizar. Así que una noche, cuando tu madre está en un momento de buen humor, te le acercas y...

—Mamá, ¿puedo hablar contigo?

—Claro, hijo, ¿qué pasa?

—Sólo quería hablar sobre la escuela. Estoy harto de vivir peleando por eso. (Define el problema con mucha claridad y en pocas palabras.)

—Sí, yo también.

(Ahora busca primero entenderla ella antes de expresarle tus sentimientos al respecto.)

—Mamá, quisiera entenderla por qué siempre me presionas. ¿Qué opinas del asunto?

—Siento mucho que parezca que te hostigo. Ésa no es mi intención. Sólo me preocupan tus calificaciones. Te iría mucho mejor si te esforzaras un poco más.

—¿Crees que no hago todo lo que puedo?

—Sí. A veces creo que la escuela no te importa, que si yo no te recordara la tarea, no la harías. Es básico que asistas a una buena universidad y para eso necesitas buenas calificaciones.

—En resumen, ¿opinas que la escuela no me importa gran cosa y que me conviene ir a una buena universidad?

—Sí, es mi punto de vista.

(Ahora busca que tu madre te entienda expresando tus ideas y sentimientos al respecto, pero con mucho respeto y voz suave.)

—¿Me dejas explicarte lo que siento yo?

—Sí, quisiera entenderte.

—Sí me importa la escuela, aunque quizá no tanto como a ti. Además, quisiera decidir a qué hora hacer la tarea y no que me lo digas tú. Por eso me molesta tanto que me presiones.

—¿A qué te refieres?

—A que tus constantes regaños realmente no me motivan a hacer la tarea, sino todo lo contrario: esos regaños me quitan las ganas de hacerla y hasta me hacen sentir perdedor. Es como si no me consideraras capaz de nada.

—¿En serio?

—Sí, creo que iría mucho mejor si dejaras de presionarme y me ayudaras sólo si te lo pido.

(Ahora sinergicen. Juntos propongan soluciones o alternativas hasta que logren encontrar alguna que satisfaga plenamente a los dos.)

—Entonces ¿qué crees que hay que hacer? —pregunta mamá.

—Para empezar, quisiera que dejaras de regañarme todo el tiempo.

—A mí tampoco me gusta regañarte, mi vida, pero me parece que es la única forma de lograr que hagas la tarea.

—¿Qué quieres que haga para que no me regañes?

—Demuéstrame que vas al día en la escuela.

—¿Sabías que en cualquier momento puedes consultar mis calificaciones y trabajos de cualquier materia en internet?

—No, no lo sabía.

—Pues es posible. Sólo necesitas mi contraseña. ¿Qué tal si hacemos la prueba? Tú entras a internet cuando quieras ver cómo voy y, si no hay problema, me dejas en paz.

Por el buen camino (encuentra la mejor solución)

—Me parece bien, pero tienes que enseñarme a entrar.

—Claro, mamá. Entonces, ¿estás de acuerdo? ¿Trato hecho?

—Estoy de acuerdo, hijo.

No siempre es así de fácil, pero a veces sí. Siempre hay soluciones para los desacuerdos si hablas con tus padres. Hace falta paciencia y esfuerzo, pero funciona.

CÓMO DAR MALAS NOTICIAS A TUS PADRES

Una madre entra al cuarto de su hija y ve una carta sobre la cama. Con el peor presentimiento, la toma y lee con manos temblorosas:

"Querida mamá:

Tengo el gusto de comunicarte que me fugué con mi nuevo novio. Encontré la pasión ¡y me resulta tan atractivo con todas esas perforaciones y tatuajes y con su enorme moto! Además, estoy embarazada y Beto me dijo que seremos muy felices viviendo en su remolque. Quiere que tengamos muchos hijos y ése es uno de mis sueños. He aprendido que la mariguana no hace ningún daño. Vamos a cultivarla para nuestro consumo y el de sus amigos, que nos dan todo el éxtasis que queremos. Mientras tanto, rezaremos para que la ciencia encuentre la cura del sida. Beto se lo merece.

   No te preocupes, mamá, ya tengo 16 años y sé cuidarme. Algún día vengo a verte para que conozcas a tus nietos.

Tu hija
Judith

P.D. Mamá, es broma, estoy en casa de Alicia. Sólo quería demostrarte que hay cosas peores que mi boleta de calificaciones que está en el cajón del escritorio. ¡Te quiero!"

El mayor desafío de la comunicación es cuando tienes que dar una mala noticia a tus padres. Así que, si arruinaste el coche de la familia, quizá una estratagema como la anterior te dé resultado, porque da su justa dimensión a las cosas pequeñas.

La mayoría de los padres hacen todo lo que pueden. Pese a sus defectos, te quieren y te desean lo mejor. Sin embargo, algunos jóvenes no son tan afortunados y tienen padres con graves problemas. Algunos de ustedes padecen el abandono de un padre o la mala influencia de uno que es drogadicto o alcohólico, que se acuesta con cualquiera que pasa o que somete a sus hijos a maltrato verbal o físico. Es posible que aun así te quiera, pero ha perdido control de su vida. Sus adicciones y hábitos son más fuertes que su amor.

Si tus padres son adictos a las drogas o al alcohol, necesitan ayuda urgente y tal vez tú no seas la persona que los pueda convencer de asistir al terapeuta o a un programa de rehabilitación. Pide ayuda a un adulto de toda tu confianza y platícale claramente la situación.

Si tienes miedo a que tu papá o mamá se pongan violentos si los delatas, no dudes en hablar o acudir con alguna autoridad que te proteja. Ellos son expertos en estas situaciones y pueden escucharte y proponerte soluciones adecuadas a tu situación

AMOR Y PERDÓN

Una vez más quiero recordarte que, por más difícil que sea una situación y que anhelarías que fuera diferente, sobre todo con la conducta de tus papás, tú no los puedes cambiar ni controlar, pero sí elegir cómo responderás a ello. La historia de Liz es muy conmovedora e inspiradora:

Liz y su hermana vivían con sus padres en el distrito neoyorquino del Bronx. Ambos padres eran drogadictos. Liz recuerda las incontables veces en que amables desconocidos llevaron a su madre a casa desde el bar, con sangre y vómito en la ropa desgarrada. Ella tenía que bañarla y acostarla. Su departamento olía mal y siempre estaba sucio y casi nunca había comida porque sus padres gastaban en droga el dinero que recibían de la beneficencia.

"El primer día del mes era como Navidad, y el cartero como Santa Claus", cuenta Liz. Era el día que llegaba el cheque. Toda la familia iba a cobrarlo y a Liz y a su hermana las llevaban a un restaurante de comida rápida. Luego los padres las dejaban en la puerta de un edificio mientras ellos entraban a comprar la droga.

La vida de Liz, que ya era un desastre, empeoró todavía más cuando a su madre le diagnosticaron sida. Las autoridades separaron a la familia y a Liz en sus primeros años de adolescencia y enviaron a ésta a un orfanato. Después de vivir muchas experiencias desagradables allí, a los 15 años, guardó sus pertenencias en una mochila y se fue. Unas veces dormía en casa de sus amigas; otras, en bancas de parques o, si hacía frío, en el metro. En ocasiones pasaban dos semanas sin que pudiera bañarse.

Liz cuidó a su madre agonizante hasta que murió de sida. Entonces ella tenía 16 años y ése fue el momento decisivo de su vida. "Al ver a tantos adultos en la miseria, pensé que si no tomaba las riendas de mi vida, acabaría como ellos... Ver que no tenía nada me aterró y ese miedo me hizo volver a la escuela."

Pese a no tener un hogar, Liz se entregó a sus estudios. Tomaba cursos matutinos, nocturnos y sabatinos. Estudiaba en todas partes: pasillos, escaleras o el metro. Después de dos años, terminó la preparatoria.

Luego solicitó una beca universitaria patrocinada por el *New York Times*. El comité de selección quedó tan impresionado con su extraordinaria historia que le otorgó una de las seis becas y la Universidad Harvard la admitió. Con el tiempo escribió un libro sobre su vida, Breaking Night ("Rompiendo las tinieblas"), y ayudó a dirigir una película de Lifetime Televisión, *Homeless to Harvard* ("De indigente a Harvard").

Para mí lo más asombroso es cómo trató a sus padres durante todo ese calvario. Tenía todo el derecho a odiarlo, pero les correspondió con amor. "El amor es la respuesta", dice cuando le preguntan por qué se ocupa de su padre cuando él la tenía tan abandonada.

"No les guardo rencor. Ellos se preocupaban por mí y yo les pago con cariño. Eran adictos desde antes de que naciéramos mi hermana y yo y quizá no deberían haber tenido hijos. Pero les estoy agradecida. Me enseñaron qué camino no tomar. Y también tengo buenos recuerdos: mi madre iba

a mi cuarto en la noche, me arropaba y me cantaba. Si hoy pudiera decirle algo sería: 'Ya no te preocupes por mí: estoy bien. Gracias por todo. Y te quiero'".

Tal vez a estas alturas ya te hayas dado cuenta de que no puedes elegir a tus padres. Lo siento, pero tienes los que te tocaron. Por eso lo que decidas hacer con el sentimiento que hay entre ustedes es una de las seis decisiones más importantes de tu vida. ¿Cómo será? ¿Les tendrás respeto o no? ¿Fortalecerás la relación o huirás de ella? ¿Abordarás los problemas hablando o peleando?

Creo que te conviene tomar el buen camino, por difícil que parezca a veces. Si la relación con tus padres no existe, comienza por hacer depósitos hoy, por pequeños que sean. Di a menudo "por favor", "gracias", "te quiero" y "¿en qué te puedo ayudar?" De vez en cuando tendrás que tragarte tu orgullo y obedecer órdenes irrazonables, pero dentro de 10 años agradecerás tener una relación dulce con ellos. Nunca renuncies al cariño de tus padres, así como esperas que ellos nunca renuncien al tuyo.

DECISIÓN 4

NOVIAZGO Y SEXO

De todas las decisiones que tomarás en la adolescencia, ésta quizá sea la más importante porque tiene grandes consecuencias que te afectarán a ti y a muchas otras personas. De nuevo hay un camino correcto y uno incorrecto: puedes seguir el correcto, decidiendo con inteligencia con quién sales, dando al sexo la importancia debida y esperando encontrar el verdadero amor y el compromiso; o puedes optar por el incorrecto, eligiendo a lo tonto con quién sales, usando el sexo como si fuera un juguete y perdiendo el tiempo con cualquier pareja como si el futuro no existiera. Lo bueno es que puedes estudiar cada camino y aprender de los éxitos y fracasos de quienes ya los han transitado.

PREGUNTAS UNIVERSALES SOBRE EL NOVIAZGO

¿QUÉ DEBO ESPERAR?

Espera un gran drama: el noviazgo es un terreno complicado y emotivo, lleno de altibajos. A veces sentirás una euforia incontenible y momentos después sentirás que caerás en profundas depresiones e incertidumbres.

Espera volubilidad, caprichos e indecisión. Digámoslo sin rodeos: en lo relativo al amor, los adolescentes son indecisos, volubles, elitistas, quisquillosos e impredecibles. Es normal. Eres joven. No sabes bien lo que quieres. Tienes derecho a ser así.

En mi adolescencia yo era voluble como un camaleón. Me gustaba una chica distinta cada semana. Me atraía el detalle más simple, como la forma en que una joven se tocaba el pelo. Y me desencantaba el detalle más estúpido, como una vez en que una muchacha dejó de gustarme porque siempre usaba camisetas. Yo no me proponía lastimar a nadie. Tan sólo era inmaduro. No sabía expresar mis sentimientos como tantos otros adolescentes.

Las chicas no son tan distintas de los chicos. A Cristina, que estudia tercero de preparatoria, se le oye tal como me sentía yo:

Estoy harta de los chicos. Tengo novio desde hace unos nueve meses y quiero un cambio. A veces él se enoja cuando voy a fiestas con mis amigos. Su modo de ser está arruinando nuestra relación y estoy pensando en terminar con él. Además, me gusta alguien más y nadie lo sabe. Estoy en un callejón sin salida. No sé cómo manejarlo.

Cristina está insegura e indecisa sobre quién le gusta. Quizá su novio se sienta igual. Hasta cierto punto, todo el mundo manipula a los demás. ¿Entiendes por qué no conviene tomarse demasiado en serio el noviazgo cuando eres joven? Estás en una edad para explorar, conocer a mucha gente distinta y tener la libertad de cambiar de opinión.

¿CON QUIÉN DEBO SALIR?

Cuando eliges a alguien para salir, ¿qué es lo primero en lo que te fijas? Exacto: su físico. No puedes evitarlo. La atracción física es el principio de todo, pero una persona es mucho más que su físico.

Mi amiga y colega Durelle Price imparte un seminario sobre noviazgo inteligente, en el que compara invitar a alguien a salir con elegir un coche. ¿Has acompañado a alguien a comprar un auto? ¿Entran a la agencia y esperan a que el vendedor lo elija? ¡Claro que no! Casi siempre hacen muchas indagaciones previas y una lista mental de cualidades que debe reunir y otras que son prescindibles. Quizá decidan que la marca, el color y la fiabilidad del auto son requisitos indispensables y que el quemacocos, el ahorro de gasolina y la garantía no importan tanto.

Quienes buscan salir con alguien de manera inteligente ponen el mismo cuidado para elegir a la persona. No dejan que les llegue por casualidad. Tienen una lista de requisitos de personalidad e intereses que deben cumplir y de cosas prescindibles. ¿Qué requisitos exiges tú? ¿Tiene que ser una persona bien parecida, amable, divertida, centrada? ¿Deben gustarle los niños? ¿Caerle bien a tus padres? ¿Ser espiritual? ¿Quieres alguien que saque lo mejor de ti?

¿Y de qué puedes prescindir? ¿Qué pasa si no es una persona muy popular, si no sabe bailar o no tiene coche? ¿Puedes prescindir de estas cosas? ¿Qué tal si es alguien con mala reputación o que se droga? ¿Es algo que podrías pasar por alto?

Un paso clave para salir con alguien de manera inteligente es aclarar aquello que te importa y en lo que no estás dispuesto a ceder. No salgas con cualquiera. **Sé selectivo**.

¿Y SI NADIE ME INVITA A SALIR?

Si de veras quieres salir con alguien, tendrás mucho tiempo para eso en los años que vienen. Salir no es un concurso para ver quién consigue más novios o novias o reúne más besos. Hay muchas personas maravillosas que no tienen muchas citas durante su adolescencia y se sienten muy bien consigo mismos. Saben que tendrán muchas oportunidades en el futuro. Así que no te preocupes por ello, ni creas que te está pasando algo malo.

¿CUÁL ES EL MAYOR ERROR DE LOS ADOLESCENTES EN EL NOVIAZGO?

¡Centrar toda su vida en el noviazgo! Con demasiada frecuencia, lo que empezó como una relación de amistad se convierte en una de posesión. Te vuelves adicto a esa persona, por así decirlo.

Tres señales típicas que hacen que te des cuenta si has centrado tu vida en tu novio o novia son: 1) Tu estado de ánimo cotidiano depende de cómo te trata tu novia o novio;

TE PRESENTO A MI NOVIA, SANDRA.

2) Te vuelves posesivo(a) y celoso(a), y
3) Dejas de convivir con tus familiares y amigos.

Es irónico, pero cierto: cuanto más centras tu vida en tu pareja, menos atractivo le resultas. Casi siempre terminas perdiendo a la persona en torno a la cual has construido tu vida. Estefanía contó lo siguiente:

Me vi en dificultades cuando centré mi vida en mi ex novio. Él era todo para mí... no existía nada más. Yo no me daba cuenta porque quería estar con él las 24 horas del día los 365 días del año. Y cuanto más quería yo estar con él, menos quería él verme. Cuanto más me acercaba a él, más me rechazaba.

Ahora me doy cuenta de lo poco atractiva que me volví. No había conquista, ni diversión, ni incertidumbre sobre nada porque me tenía con él todo el tiempo. Las relaciones son más divertidas cuando tienen sorpresa y son espontáneas, no planeadas y obsesivas. Yo era la que siempre sentía que necesitaba tener: esas nauseabundas pláticas de "¿en qué plan estamos?"

Puede gustarte una persona para salir en su compañía sin que centres tu vida en ella. El único centro verdadero es el de los principios, las leyes naturales que rigen el universo. Si tienes el centro adecuado, serás más estable y seguro y menos dependiente del trato que te den los demás. Recuerda: muy pocos nos casamos con la misma persona con quien salimos en preparatoria. Así que por convencido que estés de que tu novio o novia actual es el definitivo, lo más probable es que no lo sea.

¿CÓMO SÉ SI DEBO TERMINAR CON ALGUIEN?

Ganar-ganar: *si la relación es buena para ambos, ¡disfrútala!*

Ejemplo: Quico y Sonia salen juntos, pero también por separado con otras personas. Se divierten mucho juntos. Su relación está basada en la amistad. Hacen aflorar lo mejor el uno del otro.

Ganar-perder: *si la relación es buena para ti, pero mala para la otra persona, ¡arréglala o termínala!*

Ejemplo: Jazmín obtiene mucho roce social de la relación con su novio, Carlos. Él es popular y las amigas de ella la admiran por su suerte. Jazmín espera que Carlos se dedique a ella en cuerpo y alma y la llame por teléfono a diario, mientras que él se siente atado y no quiere estarlo, sino divertirse y ser libre.

Perder-ganar: *si la relación es mala para ti, pero buena para la otra persona, ¡arréglala o termínala!*

Ejemplo: Laura sale con Quintín desde hace tres años. Al principio él era cariñoso y dulce, pero ahora la insulta y es posesivo. A Quintín le gusta que su novia sea sólo para él. Laura se siente atrapada y no sabe cómo liberarse.

Perder-perder: *la relación es mala para ambos. ¡Termínala de inmediato!*

Ejemplo: Jaime y Esmeralda centran su vida por entero el uno en el otro. Pelean sin cesar y se acusan mutuamente de engañarse y coquetear. Rompen con frecuencia, pero se reconcilian pronto porque dependen el uno del otro. Suelen decirse "te amo" y "¡qué idiota eres!" en la misma conversación.

Éstas son algunas pistas que te pueden ayudar a tomar una buena decisión, pero también es importante que tú observes cómo te sientes cuando estás con esa relación y si hay señales de que algo anda mal, por ejemplo: si tu novio o novia te pone ultimátums, si tienes la idea de que algo inapropiado de él o ella tú lo podrás cambiar, si existe mentira en la relación, si hay chantaje emocional del estilo melodramático de "nadie más te querrá" o "si me dejas, me mato"; son clarísimas señales que debes cortar de inmediato con esa relación. ¡Sólo piensa en las terribles consecuencias que te puede aportar para el resto de tu vida si no rompes a tiempo!

¿CÓMO SALGO DE UNA RELACIÓN DE MALTRATO?

Nadie quiere ni merece sufrir maltrato. Para saber si estás atrapado(a) en una relación de maltrato y saber que deberías de romperla de inmediato, responde al siguiente cuestionario:

¿Tu novio o novia...

☐ ...te HACE llorar constantemente?

☐ ...HACE o DICE cosas que te hacen sentir estúpida(o), avergonzada(o) o que no vales nada?

☐ ...no te PERMITE pasar tiempo con tu familia y amigas(os)?

☐ ...no te PERMITE hacer lo que quieres, como trabajar o afiliarte a un club?

☐ ...ES muy celoso(a) o posesivo(a)?

☐ ...te EMPUJA, SACUDE, ABOFETEA o golpea?

☐ ...AMENAZA con lastimarte o matarte, hacerse daño o suicidarse?

☐ ...MIENTE o te ESCONDE las cosas?

☐ ...ESPERA que todo se haga a su modo?

Si respondiste afirmativamente aunque sólo sea una de las preguntas anteriores, debes decir **"¡HASTA AQUÍ!"**. Pero asegúrate de romper la relación sin riesgos a la integridad de tu persona, por ello, **¡NUNCA!** vayas solo(a) a terminarla; **¡NUNCA!** lo hagas en un lugar privado y **¡NUNCA!** subestimes hasta dónde puede llegar la agresividad de la pareja con la que rompes. La mejor manera de terminar es *por teléfono y sin alargarte en la conversación*, inmediatamente después hablar de los abusos con tus papás y familiares más cercanos.

LINEAMIENTOS PARA UN NOVIAZGO INTELIGENTE

NO TENGAS NOVIO(A) DEMASIADO PRONTO

Habla con cualquier adolescente que haya tenido novia o novio a muy corta edad. Casi todos habrían preferido esperar. Comienza antes de tiempo y te meterás en problemas como que abusen de ti, tener contacto físico demasiado joven o no saber cómo romper.

TE INVITO A VER NICKELODEON Y TOMAR HELADO.

NO, PREFIERO JUGAR CON BLOQUES LEGO.

LO SIENTO: SÓLO SALGO CON GENTE DE MI EDAD.

SAL CON GENTE DE TU EDAD

Salir con alguien dos o cuatro años mayor que tú quizá te resulte halagador, pero no es sano. Es muy fácil que se aprovechen de ti cuando sales con personas mayores. ¿Para qué arriesgarse?

CONOCE A MUCHAS PERSONAS

Tus años de secundaria o preparatoria no son el momento para enfrascarte en una relación seria. Ya habrá tiempo después para restringir tus opciones y empezar a salir con una persona en serio, ¡mas no cuando eres adolescente! No te conviene entrar demasiado pronto en el mundo de los adultos, que no es ni la mitad de divertido. Checa lo que sucede con Ashley:

Estoy en preparatoria y tengo novio desde hace unos dos años y medio, por lo que no tengo la experiencia de salir con nadie más, y me preocupa mucho. Nunca he sabido si me conviene esta decisión de salir con una sola persona. Mi novio me da seguridad y en parte por eso sigo con él.

¡Cómo quisiera haber conocido a este maravilloso joven después de la preparatoria! Entonces las cosas podrían haber sido diferentes. Como no puedo cambiar eso, quisiera al menos que saliéramos con otras personas y viéramos qué pasa después de la preparatoria.

SAL EN GRUPO

LA VERDAD, ESTAS CITAS EN GRUPO EMPIEZAN A CANSARME.

Salir en grupo, ya sea en dos parejas o con más personas, tiene muchas ventajas. Casi siempre es más divertido y menos peligroso. Conocerás a más gente y crearás menos expectativas.

FÍJATE LÍMITES

Define desde ahora con qué tipo de ente quieres salir y con cuál no y hasta dónde estás dispuesto a llegar, y no dejes que nadie te convenza de otra cosa. No esperes hasta estar en la cama; para entonces ya es demasiado tarde. Si no has decidido de antemano cuáles son tus límites, ocurrirán cosas que no tenías planeadas.

La mejor manera de protegerte contra decepciones amorosas, expectativas exageradas, enfermedades, embarazos o tocamientos indeseables son las normas personales que te fijas. Si una persona tiene mala reputación, ¡por Dios, no salgas con ella! Una regla general segura es sólo salir con personas que respeten tus normas y cuya compañía mejore tu calidad humana.

Nunca te disculpes por tener normas elevadas y no las bajes por complacer a nadie… si tú no te fijas límites, alguien más lo hará por ti.

LOS CUATRO GRANDES MITOS SOBRE EL SEXO

Hay muchos mitos sobre el sexo, es decir, creencias populares falsas, que no son respaldadas por hechos comprobables sistemáticamente.

MITO 1 · TODO EL MUNDO LO HACE
Realidad: no todo el mundo lo hace.

Algunos adolescentes tienen relaciones sexuales antes de casarse porque piensan que todo el mundo lo hace y quieren ser como todo el mundo: pues has de saber que alrededor de la mitad de los adolescentes no tienen relaciones sexuales. La cifra varía según el país: en Estados Unidos es la mitad, en Europa más de la mitad, y en Asia menos. En tu escuela puede ser mayor o mejor.

Por tanto, si has decidido esperar para tener relaciones (o si ya las tuviste, pero optaste por no continuar) y te sientes un bicho raro, anímate: tienes mucha compañía.

Creo que los adolescentes han empezado a darse cuenta de que tener relaciones sexuales en la adolescencia no es tan satisfactorio como dicen, además de que pueden contraer muchas enfermedades.

MITO 2 — EL DESEO ES TAN FUERTE QUE NO PUEDES
Realidad: puedes controlar tus impulsos.

¡El hombre es una criatura asombrosa! Manipulamos genes, construimos rascacielos de cien pisos y acomodamos mil millones de transistores en una pastilla de silicio del tamaño de una uña.

Tengo un amigo, Eric Weihenmayer, que ascendió al Everest... ¡y es ciego! He leído sobre Juana de Arco, la valiente francesa que a los 14 años se volvió guerrera, salvó a Francia de sus enemigos y luego fue condenada a la hoguera. Recuerdo haber visto en televisión el reportaje de un avión que se estrelló en un río helado y cómo un hombre pasaba la cuerda salvavidas una y otra vez a las víctimas hasta que

YA LO SÉ, AMIGO, PERO POR AHORA HE DECIDIDO TENERLO GUARDADO EN EL GARAJE.

exhausto y aterido de frío, se ahogó, dando su vida por personas a las que no conocía. Éstos son ejemplos del triunfo del espíritu humano.

Por eso, cuando oigo decir a alguien que "los adolescentes tienen relaciones sexuales porque no pueden controlar sus hormonas", me dan ganas de vomitar. ¡Qué absurdo! No somos perros en celo. Los adolescentes varones, en particular, tienen la inmerecida fama de no ejercer control alguno sobre sus funciones corporales. Lo malo es que se da por hecho que eres incapaz de controlar tus impulsos.

Craig: *"¿Qué si un muchacho rechazaría el sexo? Yo lo hice. Mi ex novia quería tener relaciones sexuales, pero yo me negué. Ella no dejaba de presionarme, no sé si para retenerme o qué, y eso me confundía mucho. Ella me gustaba, pero yo no estaba listo para tal grado de compromiso. Supongo que consiguió lo que quería con su siguiente novio, aunque ya terminaron. El mes pasado me dijo que yo era el único chico con quien había salido que respetaba a las mujeres y no las usaba. Añadió que quisiera salir conmigo".*

Como dice el filósofo de la administración Jim Rohn: "Todos debemos sufrir uno de dos dolores: el de la disciplina o el del remordimiento. La diferencia es que la disciplina pesa gramos y el remordimiento pesa toneladas".

DISCIPLINA

ARREPENTIMIENTO

MITO 3 · EL SEXO "SEGURO" ES SEGURO

Realidad: el sexo seguro fuera de su orden
natural no existe.

Si eres un adolescente sexualmente activo, corres un riesgo de **1 EN 4** contraer una ETS este año.

En 1950 había dos ETS bien conocidas. Hoy existen más de 25. Tan sólo en EUA, más de tres millones de adolescentes contraen una ETS cada año. Como sólo hay unos 28 millones de adolescentes, ¡es muchísimo! Los efectos de estas ETS son tan feos como sus nombres: gonorrea, sífilis, pediculosis púbica, herpes. ¡Qué asco! Las ETS pueden causar cáncer cervicouterino, verrugas genitales, esterilidad y enfermedades que pueden contagiarse a los fetos y a los recién nacidos. Son causa de dolor y depresión ¡y pueden matarte! A menor edad, más susceptible eres de contraer algo, porque los adolescentes tienen menos anticuerpos que los adultos.

Escucha la situación que vive Allen y que tristemente es la realidad de millones de jóvenes:

Pensé que ella se había acostado conmigo de inmediato porque le gustaba, pero sólo quería divulgar que lo había hecho conmigo. Quisiera olvidarla, pero nunca podré porque toda mi vida, cada vez que tenga una relación, tendré que decirle a la persona que padezco la peor ETS, el herpes simple tipo 2, que es incurable. Me salen erupciones y ampollas en la zona genital y me da mucha comezón. Necesito descansar mucho, porque si estoy estresado, aparecen las ampollas. No sé si alguien quiera estar conmigo sabiendo que padezco esto y que es contagioso. Estoy furioso con la chica, que me contagió sin advertirme nada. Se suponía que la actividad sexual me haría sentir muy bien, pero me avergüenzo de mí mismo. Ella no fue fácil; yo fui fácil.

"PERO SI USO EL CONDÓN Y ELLA TOMA PÍLDORAS ANTICONCEPTIVAS, ESTAMOS SEGUROS"

¡Eso crees!

En la década de los noventa, los especialistas decían que el condón permitía sexo seguro. Ahora, algunos de los mismos expertos dicen que el uso del condón no da una seguridad total y sólo reduce los riesgos.

¿Sabes qué descubrieron en años recientes? Que no hay pruebas científicas claras de que el uso del condón brinde una prevención significativa contra varias ETS, entre ellas la más común e incurable: el papiloma. ¡Vaya! Una razón de lo anterior es que algunas ETS, como el papiloma, se transmiten por contacto piel con piel de la zona genital, no sólo por la parte del condón que el condón recubre.

¡AH, TE PRESENTO A MI ETS. VA CONMIGO A TODAS PARTES!

Y en cuanto a la píldora anticonceptiva, también puede fallar... suele fallar.

Por eso millones de adolescentes se embarazan cada año en todo el mundo sin haberlo planeado. Si eres sexualmente activo(a), es muy probable que embaraces a tu pareja o quedes embarazada, aun si usas protección.

También puede suceder en un solo encuentro sexual. Sé de una chica australiana que se supo embarazada el mismo día en que la admitieron en una prestigiosa universidad para estudiar música. Sólo se acostó una vez con su novio, pero esa vez bastó. En consecuencia, no fue a la universidad y su vida tomó un rumbo totalmente distinto.

Chicas: Sólo tú te embarazas, tu pareja no, y si es así, tu vida cambiará para siempre.

Muchachos: Si embarazas a una chica y ella tiene al bebé, serás padre. Te cases o no con ella, ¡el niño es tuyo! Lo mismo si te responsabilizas y ocupas del niño que si eres irresponsable y lo abandonas, tendrás obligaciones para con ese niño de por vida. ¿Estás listo para ser padre de una criatura de carne y hueso que necesita amor y atención?

Lee a continuación cómo un embarazo imprevisto afectó a Dylan:

Recuerdo el día en que mi novia me dijo que estaba embarazada. De no tener ninguna preocupación, en un instante pasé al agobio total. No me malinterpreten: no renunciaría a mi hija por nada. Pero ahora, mientras que mis amigos se divierten juntos, yo tengo que trabajar para medio mantenerla. Tener relaciones sexuales me hacía sentir como adulto, pero eso es muy distinto que serlo. Apenas estoy aprendiendo lo que es ser responsable de otra persona. Siempre estaré atado a mi novia por mi hija.

Personas completas

Hasta aquí hemos abordado sólo los riesgos físicos de la actividad sexual, como las enfermedades y el embarazo, pero también hay graves riesgos emocionales, como las decepciones, el arrepentimiento, el sentimiento de culpa y la depresión. Recuerda que constamos de cuatro partes: cuerpo, corazón, mente y alma, y las cuatro están unidas en un gran todo. Como las ruedas de un auto: si una está desalineada, las cuatro se desgastan en forma dispareja. Así también, las relaciones sexuales, algo físico, afectan tu corazón, mente y alma aunque tú no quieras. Nunca podrás tener contacto físico con alguien sin que eso afecte tus emociones. Tener relaciones sexuales en la adolescencia es como jugar a la ruleta rusa con tu futuro. Hay un riesgo en cada turno.

Después de todo lo expuesto, ¿entiendes por qué digo que el sexo seguro no existe?

No puedo culpar a quienes creen que el sexo no es importante. Después de todo, los medios de comunicación lo tratan como una forma desechable de entretenimiento que se compra, vende, alquila o intercambia dondequiera las 24 horas del día en todas sus formas: vivas, virtuales, celulares, auditivas e impresas. Tan sólo durante tus años de adolescencia verás y escucharás una 98 000 alusiones sexuales en televisión ¡Vaya!

En el cine todo mundo lo hace y casi siempre desde la primera cita. Olvidamos que las películas mienten sobre cómo es la realidad.

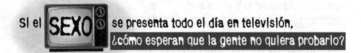

Si el **SEXO** se presenta todo el día en televisión, ¿cómo esperan que la gente no quiera probarlo?

Por ejemplo, ¿cuándo fue la última vez que viste un programa en el que una pareja tenía relaciones sexuales y luego sentía culpa o arrepentimiento o uno de ellos contraía una ETS? ¿Alguna vez has visto una película romántica que muestre la traición que siente una mujer al saber que está embarazada y que su novio no quiere volver a verla? Nunca la has visto porque no sería divertida ni romántica. No creamos tan fácilmente la idea de Hollywood de que el sexo no es importante. Tal cosa es mentira.

Depresión: la ETS (enfermedad de transmisión sexual) emocional.

Luego de tratar a miles de adolescentes durante 20 años, la doctora Meeker está convencida de que tener relaciones sexuales en la adolescencia ocasiona graves trastornos, y ha llegado incluso a llamar a la depresión "la ETS emocional". En su opinión:

Aunque muchos adolescentes varones dicen que el sexo es divertido, en privado muchos admiten que después de un encuentro sexual pierden respeto por sí mismos. Quizá alardeen de sus hazañas sexuales y parezcan adquirir confianza en sí mismos, pero en privado reconocen que algo cambió en su interior cuando empezaron a tener relaciones sexuales. La pérdida de respeto por sí mismos es por haber entregado su intimidad sexual a alguien a quien no querían profundamente.

Las chicas pueden sufrir una pérdida aún mayor de respeto por sí misma. Al animarlas a descubrirse cada centímetro de piel, la sociedad les enseña que su cuerpo no merece protección. Puede entregarse sexualmente (lo cual significa mucho para ellas) a un chico al que quieren mucho; si él no recibe este regalo con respeto, la chica pronto se dará cuenta de que a él sólo le interesaba el sexo.

Proteger nuestra virginidad debe ser un acto de conservación muy arraigado en nosotros, pues he visto a cientos de adolescentes lamentar su pérdida. En el fondo todos sentimos y sabemos que es algo preciado y privado y que si la entregamos y luego nos decepcionan o rechazan, sufrimos una pérdida irreparable.

Imagina por un momento a la persona con quien esperas casarte. ¿Qué gusto tiene? ¿Es chistosa, inteligente, amable? ¿Cómo esperas que viva ahora? ¿Te molestaría saber que cada fin de semana se acuesta con alguien o que ha tenido cinco, 10 o 15 parejas en los últimos años? ¿O te hará ilusión saber que se está reservando para ti? ¿Por qué no vivir tu vida como quisieras que viviera la suya? Espera, por la relación.

A continuación te presento dos cartas de adolescentes que estuvieron dispuestos a hacer públicas sus razones para esperar.

Para los **jóvenes** que piensan que deben practicar el sexo para ser aceptados

De un joven que dice que no y se siente a gusto

Cuando entré a la preparatoria, todo el mundo sabía que mi mamá era la maestra de educación sexual y mis compañeros dieron por hecho que yo tenía las mismas ideas que ella. Mis padres me enseñaron que el cuerpo es un templo y que el sexo debe reservarse para el matrimonio. Además, la información que mi mamá tiene sobre ETS es aterradora y razón suficiente para que yo mantenga mi compromiso de abstinencia hasta el matrimonio.

Cuando terminé la preparatoria recibí una beca de la Universidad Temple para jugar futbol. Nuestro equipo está integrado por jóvenes magníficos, pero como yo no conocía a nadie tuve que reubicarme socialmente. Al principio algunas personas a las que me acerqué respetaban mis creencias, pero no sabían si hablaba en serio sobre la abstinencia porque no conocían a nadie como yo. Ahora tengo excelentes amigos con normas de conducta parecidas, y es bueno juntarse con quienes opinan igual sobre el sexo antes del matrimonio.

He tenido algunas novias y salido con muchas jóvenes y nunca he tenido problemas con el sexo porque ellas sabían de antemano mi sentir y lo respetaban. Nos comunicamos por medios distintos de sólo el sexo y llegue a conocerlas bien.

A veces me preguntan cómo puedo abstenerme del sexo. Siempre respondo que si crees firmemente en algo, no estás dispuesto a romper tu juramento. Espero casarme y formar una familia con alguien para quien me he reservado.

Para chicas que se sienten presionadas para tener relaciones sexuales

De Sue Simmerman, una chica que ha pasado por eso

Mi decisión de no tener relaciones sexuales no fue difícil en la secundaria, pero cuando entré a la preparatoria me trajo problemas. Muchos más de mis amigos empezaron a tener relaciones sexuales con muchachos mayores.

Como yo tuve el mismo novio desde segundo de secundaria hasta el primer año de universidad (cinco años y medio), en vez de decir que no a muchas personas, sólo se lo dije a él. Debo admitir que varias veces faltó poco para claudicar porque estaba HAAAARTA de tener la misma discusión sin cesar.

A veces, por frustración, terminaba diciendo: "Está bien, como quieras". Pero enseguida recapacitaba y decía: "¿Sabes qué? ¡No voy a permitir que me arruines la experiencia, pues yo lo haría por pura frustración". Luego me disculpaba por mis creencias, cosa que detestaba y después me arrepentía. Por suerte al fin me di cuenta de que era una relación inmadura y enfermiza y me armé de valor para terminarla.

Ahora tengo 19 años y no hay un solo día en que he lamentado mi decisión de abstinencia. Al contrario, cada día estoy más contenta. Tengo un novio nuevo que me respeta y no me hostiga y nuestra relación es maravillosa.

Si hay alguna chica que esté indecisa sobre abstenerse o no, le diría por mi experiencia que sea leal a sus principios. Si tus amigos o tu novio no aceptan tu decisión o se burlan de ti, no son amigos de verdad.

Ésta es mi lista de las ventajas que tiene esperar:

1 Podré darle a mi esposo un regalo que nadie tendrá jamás.
2 Me he librado del trauma emocional que han sufrido muchas de mis amigas por haberse acostado con diferentes personas y haber sido víctimas de abuso.
3 Me he salvado de tener una mala reputación.
4 He adquirido una enorme cantidad de respeto por mí misma.
5 He aprendido a contenerme.
6 Sé que mi decisión complace a Dios y a mi familia.
7 No he tenido las preocupaciones de muchos de mis amigos y compañeros sobre el embarazo y las enfermedades.

El efecto dominó

Quizá hayas andado con demasiadas personas, en relaciones abusivas y hayas perdido tu autoestima. Tal vez te embarazaste o embarazaste a alguien. ¿Qué debes hacer entonces?

Pase lo que pase, no seas como una hilera de fichas de dominó que caen, en las que un error conduce a otro y así sucesivamente. A veces, cuando caemos, pensamos: "Al diablo. ¿Qué importa lo que pase ahora?" Sólo recuerda que un error no es tan grave como dos o tres. Si has hecho algo de lo que te arrepientes, impide que caigan las fichas tomando el control y evitando otro error.

Recuerda, el presente no es eterno. La situación desesperada en la que te encuentres ahora mejorará si trabajas para lograrlo. Las cosas cambian, la gente perdona, puedes reponerte y la vida puede sonreírte otra vez.

Hay dos caminos que puedes elegir. Espero que elijas el correcto saliendo de manera inteligente con gente del sexo opuesto, abordando el sexo y la intimidad como algo muy importante y esperando hasta encontrar el verdadero amor y el compromiso. Te prometo que nunca te arrepentirás.

NOVIAZGO Y SEXO

CAMINO CORRECTO	CAMINO INCORRECTO
• Fíjate bien con quién sales • No restes importancia al sexo • Espera el amor verdadero	• No veas con quién sales • Trata al sexo como si fuera un juguete • Actúa como si el futuro no existiera

Créeme, no quieres que te decepcionen, sentirte usado, criar a un niño cuando tú mismo sigues siendo un niño, ni tener que decirle a tu futuro cónyuge: "¡Perdón, pero tengo una extraña enfermedad sexual que contraje en primero de preparatoria!"

DECISIÓN 5

ADiCCiONES

Es fácil dejarlas…
Yo lo he hecho
muchas veces

¿Qué harás respecto a fumar, beber, consumir drogas y tener otro tipo de adicciones?

Lo que elijas hacer en torno a las adicciones es una de las decisiones más importantes que tomarás. Puedes seguir el camino correcto y respetar tu cuerpo, decir "no" desde el principio y evitar las adicciones como a la peste, o puedes elegir el camino incorrecto, que es abusar de tu cuerpo con la idea de que "una vez no hace daño" y quedar atrapado en una situación perjudicial.

Tres crudas realidades

Tres crudas realidades

Cuando hablamos de sustancias o actividades adictivas, todos debemos enfrentar tres verdades muy crudas.

Cruda realidad 1: pueden volverse más fuertes que tú

Solía pensar que los adictos a las drogas eran gente débil y egoísta. Hoy que conozco más sobre el tema, lamento mi falta de comprensión. Las adicciones atacan a los mejores y más brillantes de entre nosotros. Nadie es inmune. Muchas buenas personas son adictas al alcohol, al juego o a las drogas. Y en realidad no son tan diferentes de ti o de mí. Tienen

las mismas esperanzas, los mismos sueños. Lo único que las separa del resto son unas cuantas decisiones que tomaron mal, por lo general cuando eran adolescentes.

Éstas son algunas declaraciones reales de los adolescentes acerca del poder de las adicciones:

- *Antes podía correr 1 600 en menos de seis minutos. Hoy apenas lo puedo lograr en ocho y llego casi muerto. Quisiera dejar la adicción, pero no es tan fácil.*
- *Se volvió tan cotidiano que nunca pensamos siquiera en detenernos.*
- *Ojalá nunca hubiera empezado, pero todos los fumadores dicen lo mismo.*

- *Mis amigos consumen alcohol y drogas como si fueran un caramelo. Siempre que les pregunto si son adictos, dicen que no y que pueden dejarlas cuando quieran, pero parece que las prueban a diario.*

Cruda realidad 2: no se trata sólo de ti

Algunos adolescentes consideran que a nadie debe importarle lo que hacen con su vida: "Ocúpate de tus asuntos y yo me ocupo de los míos". La realidad es que cuando se trata de fumar, beber y consumir drogas, el asunto no es sólo tuyo: te guste o no, le afecta a cada individuo que te rodea.

Un amigo mío me contó cómo las drogas afectaron a su familia: "Yo tenía ocho años cuando mi hermano comenzó a consumir drogas. No recuerdo un momento de mi infancia en que no haya sentido miedo... miedo a estar a solas con él, a que me lastimara como amenazaba, a que se suicidara, a que mis padres jamás lograran resolver la situación".

Él decía que era su vida, que lo dejáramos en paz, que sus decisiones no tenían nada que ver con nosotros. A pesar de que era el único adicto, su vicio nos afectaba y nos consumía como a él. Sentíamos su misma desesperación cuando no lograba reunir dinero suficiente para una nueva dosis, el dolor para cada ocasión en que intentaba abandonar su adicción y la enorme culpa por lastimar a quienes más amaba.

Ahora han pasado los años y es él quien siente miedo... miedo a no poder alcanzar jamás una profesión, a no poder estar al nivel de las personas de su edad, a no ser capaz de conservar un empleo, a ser incapaz de permanecer casado, a no poder recuperar las relaciones que dañó y a no ser capaz de estar de verdad sobrio. A pesar de estar limpio de drogas, cada día de su vida debe librar una batalla consigo mismo.

Mis padres también tienen miedo... miedo por él por las mismas razones que él teme. Y aunque ya es un adulto, lo consideran su responsabilidad y desean ayudarlo a pesar de sentirse tan impotentes como cuando era adolescente.

¿Que si alguna vez probé las drogas? Nunca. Pero lo cierto es que ellas me han consumido a mí, a mi familia y todo lo que me rodea.

Cruda realidad 3: las drogas destruyen sueños

Costearse una adicción es algo imposible. El precio es muy elevado tanto en tiempo como en dinero, neuronas, metas, relaciones y felicidad. Y el asunto empeora cuando te haces adulto.

Conocí a una joven llamada Kori, una estudiante de segundo de preparatoria llena de energía y dedicada a enseñar a los niños a alejarse de las drogas.

"Quiero que no cometan el mismo error que yo", me dijo. "Ese error me hizo perder años que no recuperaré. Toda mi vida tendré que soportar regresiones, pesadillas y recuerdos espantosos."

Le pregunté qué le había ocurrido y ella me narró su historia. Hasta que cumplió 11 años su vida fue maravillosa: tenía unos padres que la amaban, un hermano y una hermana mayores y otro más pequeño que ella. "En cuanto papá llegaba a casa del trabajo nos sentábamos a la mesa, dábamos las gracias y cenábamos todos juntos. Éramos una familia de verdad."

Un año después la misma situación ya no la hacía tan feliz. Su hermano mayor era el atleta de la familia, el hijo perfecto, mientras que el menor era el bebé. Kori se sentía atrapada entre los dos, así como rechazada e incapaz de cumplir con las expectativas de su familia. "Mis padres querían que yo fuera perfecta, que la familia fuera perfecta. En gran medida yo estaba molesta con el mundo porque la vida no era justa conmigo."

Al poco tiempo, Kori huyó de su casa y se mudó con otros cuatro chicos: Tom y su novia Emma, ambos de 19 años, Mark, a quien su propia familia había echado, y Jay-Jay, el más joven de todos y quien, como Kori, había escapado de su casa. Sin embargo, aunque Kori se había propuesto olvidar su vida pasada, con frecuencia llamaba por teléfono a su madre.

Los cinco empezaron a consumir alcohol y mariguana y siguieron con drogas más fuertes. "Nos volvimos unos drogadictos. Probábamos cuanta droga teníamos a la mano. Casi el monto total de nuestros cheques se nos iba en comprar más droga", continuó Kori.

Una noche, Tom llevó al apartamento algo que nunca habían probado: heroína. Los cinco se sentaron a la mesa y compartieron la aguja. Mark fue el primero, seguido por Kori. Ella se la pasó a Jay-Jay, que en todo el día no había dejado de tomar y fumar. "Jamás olvidaré la escena", relató Kori. "Jay-Jay se ató una liga al brazo, llenó la jeringa y se inyectó. No había pasado ni un minuto cuando se quedó inmóvil y empezó a ponerse azul. Murió allí. Todos nos aterrorizamos. Yo me quedé paralizada, sin poder quitarle la vista a mi amigo muerto... Luego llamé al número de emergencias."

La policía puso a Kori y a los demás bajo custodia del Estado y un juez ordenó que se sometieran a un programa de desintoxicación. Meses después, tras ser dada de alta, Kori volvió con sus padres e inició una nueva vida.

Le pregunté qué había sucedido con sus amigos. "Eso es lo más triste", respondió. "Todo lo que puede ocurrirles a quienes consumen drogas nos ocurrió a nosotros. Hoy Tom sufre de daño cerebral. Parece el mismo, pero es incapaz de hacer las cosas más simples. Ya no sabe trazar letras y está aprendiendo a atarse las agujetas otra vez. Ema, la que fue novia de Tom, tiene sida y no sale para nada de su casa. Se pasa sentada todo el día, mientras su madre cuida de ella. Mark ya tiene 18 años, pero sigue atrapado en las drogas; tiene una hija de cinco años. Jay-Jay murió esa noche."

ANATOMÍA DE UNA ADICCIÓN

Muchos problemas de abuso comienzan con las llamadas drogas de inicio: tabaco, alcohol, mariguana, que son un riesgo por sí solas y a menudo llevan a drogas más peligrosas. Así, la adicción entra de manera casi imperceptible. Mi amigo Phil comenta que es la cuña de la adicción. Empieza por una insignificancia... una copa, un cigarrillo, un poco de mariguana. Luego quieres más; necesitas algo más potente. Y la cuña penetra cada vez más profundamente y forma una división más grande, hasta que al fin te parte en dos.

Es muy fácil identificar a un adicto. Busca estas tres señales:

- *Siempre niega tener una adicción y afirma: "Puedo dejarlo cuando quiera".*

- *Teje una red de mentiras para ocultar su problema.*
- *Su vida gira en torno a su adicción y sólo piensa en la siguiente dosis.*

No hay vuelta de hoja. La realidad sobre las adicciones es brutal.

La verdad, sólo la verdad...

Estoy convencido de que, si sabes la verdad de las cosas, tomarás mejores decisiones. La información que te presentaré a continuación la tomé principalmente de www.health. org, fuente confiable acerca de adolescentes y drogas.

La verdad sobre el ALCOHOL

llamado bebida, vino, licor, copa, trago, etcétera

El consumo del alcohol te hace perder la coordinación, deteriora tu capacidad de razonar, hace más lentos tus reflejos, distorsiona tu visión, produce amnesias temporales e incluso la pérdida del conocimiento. Combinar alcohol con medicamentos o drogas es una práctica peligrosa que puede resultar mortal.

SI ÉL VIENE, YO NO VOY.

Las tres principales causas de muerte de los adolescentes son los accidentes automovilísticos, los homicidios y el suicidio; el alcohol mata más adolescentes que todas las drogas ilegales juntas.

La verdad sobre el CIGARRILLO

también conocido como tabaco, taco de cáncer o pitillo

El tabaco contiene nicotina, una sustancia altamente adictiva. Tres de cuatro jóvenes que fuman a diario siguen haciéndolo el resto de su vida porque les resulta casi imposible dejarlo.

Apenas 8 segundos después de la primera bocanada de humo, la nicotina llega al cerebro e inicia el proceso adictivo.

Fumar es la principal causa de cáncer de pulmón y se relaciona con otros cánceres, como el de boca, garganta, vejiga, páncreas y riñón. Mascar tabaco puede producir cáncer de boca, pérdida de dientes y otras afecciones. Fumar es especialmente dañino para los adolescentes, ya que su cuerpo aún no ha terminado de desarrollarse. Y cerca de un tercio de los adolescentes que se vuelven fumadores frecuentes antes de cumplir los 18 morirán por alguna enfermedad vinculada con el tabaco.

Pero fumar es sexy, ¿o no?

Sólo si consideras sexy el mal aliento, el cabello con olor a humo, los dedos amarillentos y la tos. Los anuncios muestran que fumar da clase, pero piensa quiénes lo crean y por qué la industria gasta 1.2 millones de dólares cada hora en anuncios para inducirte a fumar.

La verdad sobre la **MARIGUANA**

o, como también se dice, mota, hierba, pasto, maría, monte o moy

Se sabe que la mariguana disminuye la motivación de las personas. En los hombres, reduce la cantidad de espermatozoides y genera impotencia; las mujeres embarazadas que fuman mariguana tienen mayor riesgo de abortar y su bebé presenta problemas de desarrollo.

La verdad sobre MEDICAMENTOS DE **PRESCRIPCIÓN**

Llamados: (oxicontina, Percocet, Lortab): OC, heroína hillbilly, percs, juice (Valium, Xanax, Ativan): barbs, caramelos, downers, roofies, tranks (Adderall, Concerta, Ritalin): skippy, smarties, bennies y black beauties

Algunos nombres de los medicamentos más comunes son: Percocet, Lortab, Valium, Xanax, Ativan, Adderall, Concerta, Ritalin, etcétera.

Los tranquilizantes y la heroína son primos cercanos. La heroína, una de las drogas más peligrosas y adictivas,

ADICCIONES

TEN CUIDADO CON LA ZONA DE SUCCIÓN. UNA VEZ DENTRO, NUNCA PODRÁS SALIR.

contiene sustancias similares a las de los tranquilizantes prescritos. Ambos son narcóticos y traicioneros.

El mal uso de medicamentos prescritos puede poner en riesgo la vida. En efecto, el abuso de este tipo de fármacos provoca diversos males, como crisis respiratorias, apoplejías, alteración del ritmo cardiaco y otras deficiencias cardiovasculares, fiebre, afectación del ánimo, sensación de paranoia y estreñimiento.

La verdad sobre las DROGAS DE LOS ANTROS

también llamadas: (éxtasis): X, XTC, droga del amor,
Adán (GHB o ácido gamma hidroxibutirato):
líquido X, éxtasis líquido, biberones
(ketamina): K, Special K, ket, vitamina K
(Rohypnol): Roofies, R-2

Por drogas de los antros nos referimos a las que circulan en las fiestas de toda la noche (raves), clubes nocturnos y conciertos. Si te ofrecieran una píldora que te hiciera

PUEDO PREDECIR COSAS. ES COMO SI FUERA ESPN.

- *Bajar el rendimiento en la escuela,*
- *Perder el interés en tus pasatiempos, deportes o actividades favoritos,*

- *Volverte hostil y poco cooperativo,*
- *Tener problemas para dormir,*
- *Apretar la mandíbula y rechinar los dientes,*
- *Sufrir ansiedad y ataques de pánico.*

... ¿te atraería? Pues bien, eso es lo que provoca el éxtasis, una de las drogas más consumidas en los antros.

Las drogas de los antros dañan las neuronas y deterioran los sentidos, la memoria, la capacidad de razonar y coordinar. Producen males respiratorios graves, coma y, en dosis elevadas, la muerte.

Un amigo de Irlanda me contó sobre un amigo suyo que conoció las drogas de los antros de la peor manera:

Michael es el mayor de 10 hermanos. Una noche llegó a su casa intoxicado por los efectos del X. Cuando vio en la cocina a la mascota de la familia, un perro labrador, lo estranguló, convencido de que era el diablo. Como el perro lo mordió, había sangre por toda la cocina. Sus hermanos llegaron cuando todo había terminado y se quedaron helados al ver la escena. Michael se encuentra hoy en rehabilitación.

La verdad sobre los **ESTEROIDES**

llamados también Arnolds, dulces de gimnasio, pumpers

Los esteroides anabolizantes son derivados sintéticos de la testosterona, la hormona sexual masculina. Por sí solos no generan masa muscular, sino que permiten ejercitarse más

EH... PENSÁNDOLO BIEN, TAL VEZ SEA MEJOR QUE YA NO PUEDA TENER HIJOS.

y recuperarse más rápido. Quienes los ingieren buscan desarrollar una musculatura impresionante y mejora su rendimiento deportivo. Por fuera lucen fenomenales, pero por dentro se están consumiendo.

Sí, los esteroides cambian tu apariencia... aunque no siempre para bien. ¿Cómo sabes que alguien usa esteroides? Aparte del incremento muscular, fíjate si tiene acné, piel amarilla, mal aliento e irritabilidad. Los chicos presentan calvicie, se les desarrollan senos (¡ups!) y sufren impotencia.

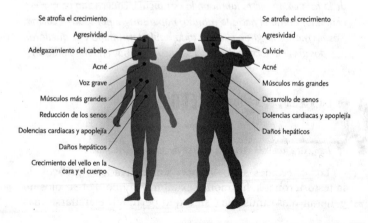

Se atrofia el crecimiento
Agresividad
Adelgazamiento del cabello
Acné
Voz grave
Músculos más grandes
Reducción de los senos
Dolencias cardiacas y apoplejía
Daños hepáticos
Crecimiento del vello en la cara y el cuerpo

Se atrofia el crecimiento
Agresividad
Calvicie
Acné
Músculos más grandes
Desarrollo de senos
Dolencias cardiacas y apoplejía
Daños hepáticos

La verdad sobre los INHALANTES

también conocidos como solventes, cemento, chemo, activo, poppers

Los inhalantes son sustancias químicas contenidas en productos del hogar, como aerosoles, limpiadores, pegamentos, pinturas solventes, gasolina, propano, removedor de esmalte para uñas, líquidos correctores y marcadores. Inhalarlos es nocivo para la salud: todos pueden causar la muerte. Las sustancias como el nitrito de amilo y el nitrito de isobutilo (los poppers) y el óxido nitroso (los whippets) a menudo se venden en conciertos y clubes de baile.

Los inhalantes son sustancias volátiles que se aspiran por la nariz o la boca para conseguir una sensación placentera inmediata. Como afectan al cerebro con mucha mayor rapidez y fuerza que otras sustancias, son capaces de provocar daños físicos y mentales irreversibles antes de que sepas siquiera qué ocurrió.

Además, los inhalantes le restan oxígeno a tu cuerpo, por lo que el corazón late más rápido e irregularmente. Asimismo, provocan náuseas y hemorragias nasales, así como pueden desarrollar afecciones hepáticas, pulmonares y renales, y pérdida del oído y olfato. Su uso prolongado reduce el tono y la fuerza de los músculos.

La verdad sobre la COCAÍNA

también llamada coca, polvo, perico, pericazo, grapas, nieve, crack

La cocaína afecta tu cerebro. El término *cocaína* designa a la droga que se encuentra en forma de polvo (cocaína) o de cristal (crack). Se obtiene de la planta de la coca y provoca una breve euforia seguida, casi de inmediato, por lo opuesto: sensación de depresión, inquietud y ansia incontrolable de más droga. La cocaína se puede inhalar en forma de polvo, hacerse líquida para inyectarla en las venas o procesarse en forma de cristal para fumarla.

La cocaína es adictiva. Altera la forma en que el cerebro procesa las sustancias químicas que producen placer, al grado de que se requieren dosis más altas tan sólo para sentirse normal. Los adictos a la cocaína pierden interés en otros aspectos de su vida, como la escuela, los amigos, los deportes.

La cocaína puede ser mortal. Puede provocar infartos, convulsiones, apoplejías y paros respiratorios. Quienes comparten agujas se arriesgan a contraer hepatitis, sida u otras enfermedades. Incluso quienes prueban la cocaína por primera vez pueden sufrir convulsiones o infartos fulminantes.

Combinar la cocaína con otras drogas o alcohol es muy peligroso. Los efectos de una droga se ven incrementados por los de la otra, además de que mezclar sustancias distintas es potencialmente mortal.

La verdad sobre las **METANFETAMINAS**

también conocidas como speed, hielo, vidrio, crank, met

A corto plazo, las metanfetaminas provocan cambios en el estado de ánimo, como ansiedad, euforia y depresión. Los efectos a largo plazo incluyen fatiga crónica, paranoia o alucinaciones y daño mental permanente.

Además de adictivas las metanfetaminas llegan a ocasionar conductas agresivas, violentas y aun psicóticas. Casi la mitad de los que usan cristales de met por primera vez y más de tres cuartas partes de quienes los usan por segunda vez manifiestan un ansia de droga muy parecida a la que sienten los adictos.

EL ESPEJO LE DEVOLVÍA
LA IMAGEN DE UN ESQUELETO.
EL CABELLO SE LE CAÍA A MECHONES.
SE SENTÍA SOLA POR COMPLETO.

Hay muchas drogas de las que no hemos hablado, tales como el LSD, la heroína, el PCP, pero a estas alturas quizá ya estés cansado de leer sobre este asunto, porque luego de un rato parece que todo se repite.

El punto es que las drogas son malas y arruinan tu vida, la de tu familia y tu economía.

¡Co

¡Corta de raíz tus adicciones!

Con demasiada frecuencia nos concentramos sólo en las capas superficiales del problema de una adicción, es decir, sólo en los síntomas, en vez de dirigirnos a la raíz del problema. Por lo general, la raíz es una de estas seis causas:

Las raíces de la adicción

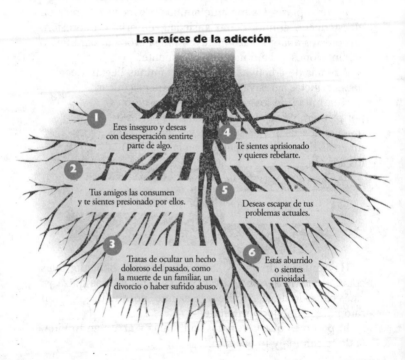

1 Eres inseguro y deseas con desesperación sentirte parte de algo.

2 Tus amigos las consumen y te sientes presionado por ellos.

3 Tratas de ocultar un hecho doloroso del pasado, como la muerte de un familiar, un divorcio o haber sufrido abuso.

4 Te sientes aprisionado y quieres rebelarte.

5 Deseas escapar de tus problemas actuales.

6 Estás aburrido o sientes curiosidad.

AHORA ¡LOS MEJORES ANTÍDOTOS PARA LAS ADICCIONES, QUE VERDADERAMENTE TE AYUDAN A LLENAR ESOS POSIBLES VACÍOS, SON LOS SIGUIENTES!:

- **El ejercicio.** *Ejercitarse libera endorfinas, las sustancias naturales que produce el cuerpo y que provocan una sensación de bienestar y levantamiento de tu ánimo... ¡mucho mejores que cualquier sustancia adictiva! Nada despeja más la mente que el ejercicio.*

- **Los deportes.** *El deporte te ayuda a conocer gente nueva y te mantiene tan ocupado que no tendrás tiempo de acercarte a las drogas.*

- **La música.** *Acércate a tocar un instrumento musical. Muchas veces es imposible poder expresar tus verdaderos sentimientos con palabras y en ocasiones son mal comprendidos por los demás; pero canalizar tus sentimientos y estados de ánimo a través de la música permite que expreses libremente lo que llevas dentro sin la amenaza de ser mal comprendido o enjuiciado.*

- **Altruismo.** *La mejor manera de olvidarse de los problemas propios es dejarse llevar por el placer de ayudar a los demás.*

- **Los hobbies.** *Busca una actividad que te guste y en lo que seas bueno. Los hobbies, como la fotografía, la cocina, la astronomía o lo que te atraiga, te estimulan de manera natural sin las secuelas de las drogas.*

- **Aprender.** *Entrégate al aprendizaje. Vuélvete lector voraz, adelanta materias o toma cursos especiales y pon tu corazón en ello.*

NO SIENTO NADA.

NO, HERMANO... NO ME REFERÍA A ESO.

Vida

- **La familia.** *Nadie se preocupa más por ti que tu familia, incluidos tus primos, tíos y abuelos. Cuando algo te lastime, en vez de buscar otra válvula de escape, libera con ellos la carga que te abruma.*
- **La fe.** *Practicar tu religión, ya sea a solas o con otros, le da sentido y propósito a tu vida y te ofrece un conjunto de normas por las cuales puedes regir tu conducta.*
- **Los amigos.** *Los amigos. En momentos difíciles apóyate en los buenos amigos. A ellos cuéntales tus problemas, no a una botella.*
- **Escribir un diario.** *Tu diario puede convertirse en tu mejor amigo, tu consuelo el sitio donde puedes descargar tus emociones sin el temor a que te juzguen.*

La droga del SIGLO XXI

Hay otra adicción de la que no hemos hablado: la pornografía. La defino como una droga porque es tan adictiva como la cocaína; si no me crees, pregúntale a cualquier adicto a la pornografía o a sus terapeutas. Y digo que es del siglo XXI porque, aunque de una u otra forma siempre ha existido, alcanzó auge en este siglo con la expansión de internet. Apenas una generación atrás era difícil de conseguir. Hoy va hacia ti.

La pornografía es una industria de miles de millones de dólares que crece cada día. A sus productores quien menos les importa eres tú, pues sólo buscan tu dinero. Saben cuán adictiva es y se las ingenian para atraerte y atraparte. Uno de sus recursos es "la ratonera", que obliga a los usuarios a permanecer en un sitio web. Cuando tratan de salir se abre automáticamente otra ventana y otra y otra, y la única manera de escapar es reiniciando la computadora.

Si te acercas demasiado, saltará como una bestia para clavarte sus dientes y te arrastrará a sus sucias aguas tan rápido que ni te darás cuenta. Aunque a los muchachos les resulta especialmente tentadora, cada vez son más las chicas que caen en la trampa.

"La pornografía es adictiva en extremo", dijo Wes. "Es igual que la nicotina. ¡Me enganché desde la primera vez que la vi!

"Me absorbió a tal grado que empezó a dominarme. No pensaba en nada más. Prefería la pornografía a estar con mi familia. Mis calificaciones bajaron. Antes de hacer tarea, guardaba pornografía en el clóset y la veía antes de cenar.

"Después de cenar veía en la televisión películas de sexo y desnudos hasta las 3 de la madrugada. Dormía un poco, me despertaba a las 6, veía más, me iba a la escuela y la historia se repetía. Estaba atrapado y me hundía cada vez más. No sabía cómo escapar.

"Me descubrieron, pero no pasó ni una semana y volví a lo mismo. Le mentía a mamá, le decía que ya no usaba la computadora. A ese grado llegó el poder de la pornografía sobre mí. Mi consejo es alejarse de ella."

¿Qué daño puede hacerme ver la pornografía?

¿PODRÍAS DEJAR DE HACER DOBLE CLIC CON MI MANO?

Muchos estudios, así como orientadores y expertos en leyes, coinciden en que la pornografía es determinante en el abuso infantil, las violaciones, la violencia contra las mujeres y el abuso de las drogas, además de que destroza matrimonios y vidas enteras. El doctor Cline señala que la adicción a la pornografía se desarrolla en cuatro etapas: adicción, incremento, insensibilización y, por último, representación del acto.

La pornografía por lo general se mira en secreto, pero eso que se hace a oscuras en algún momento sale a la luz en forma de relaciones destruidas, baja autoestima y sueños no realizados.

LIBRE DE ADICCIONES

No hemos hablado de infinidad de otras adicciones, como el TAP o trastorno por adicción a las pantallas. Las pantallas a las que me refiero son las de televisión, computadora, teléfonos celulares, cine, videojuegos, iPods y muchas otras. Tampoco olvidemos las apuestas, los trastornos alimentarios, las automutilaciones y otras conductas compulsivas. Cada una puede ser muy peligrosa y acabar contigo. Podríamos seguir, pero no vale la pena, porque la realidad es que todas las adicciones son iguales. Mientras investigaba para redactar este capítulo, me sorpendió lo semejantes que eran los diversos testimonios. Parecían seguir siempre el mismo modelo. En general presentaban estos seis escalones:

EL DESCENSO A LA ADICCIÓN

1. Algo falta en la vida (baja autoestima, algún suceso traumático del pasado).

2. Se empieza con drogas de inicio: tabaco, alcohol y mariguana.

3. El consumo de estas drogas empieza a edades tempranas.

4. Luego se pasa a drogas más fuertes.

5. Aparece la adicción y ésta empieza a consumir la vida.

6. Se lucha contra la adicción. A veces se vence, pero casi siempre la batalla continúa durante toda la vida.

ADICCIONES

CAMINO CORRECTO ↑	• Respeta tu cuerpo • Di "no" desde el principio • Aléjate de las adicciones
CAMINO INCORRECTO ↓	• No respetes tu cuerpo • Piensa que "una vez no hace daño" • Elige la adicción más dañina

Si estás en el camino correcto y vives sin adicciones, alégrate, porque no tendrás que soportar la carga que te imponen. Si estás experimentando y aún no decides cuál de los dos caminos seguir, espero que tomes en cuenta lo que hemos dicho hasta aquí y hagas el mayor esfuerzo por mantenerte limpio. Si ya estás enganchado en alguna adicción, por favor, cambia de rumbo antes de que sea demasiado tarde. La decisión es tuya.

LA PROPIA VALÍA

¡Si tan sólo
fuera
más bonita!

La autoestima es la opinión que tienes de ti mismo. También se le conoce con otros nombres, como confianza en sí mismo o respeto por uno mismo. Prefiero el término *valía* porque siento que expresa algo que las otras definiciones no. ¿Sabes cuál es tu valía?

Aunque tu autoestima puede AUMENTAR o DISMINUIR,

LO QUE REALMENTE VALES JAMÁS CAMBIARÁ.

Aunque tu autoestima puede aumentar o disminuir lo que realmente vales, jamás cambiará.

Qué hacer respecto a tu valía es la última de tus seis decisiones más importantes de la adolescencia. Para seguir el camino correcto, debes fijarte en lo bueno que hay en ti, formar tu personalidad y competencia y aprender a agradarte, con todo y tus defectos. Por supuesto, siempre tendrás la libertad de elegir el camino incorrecto, es decir, fijarte en las opiniones de los demás, no hacer nada por mejorar y ser hipercrítico con todos tus defectos.

Una valía saludable puede ayudarte a:

- *Resistir la presión de tus amigos.*
- *Probar cosas nuevas y conocer gente diferente.*
- *Saber sobrellevar desilusiones, errores y fracasos.*
- *Sentir que te aman y necesitan.*

De igual forma, subestimar tu valía puede llevarte a:

- *Ceder a la presión de tus amigos.*
- *Evitar probar cosas nuevas.*
- *Derrumbarte en los momentos difíciles.*
- *Sentirte aborrecido y rechazado.*

El espejo social y el espejo real

Verás, siempre hay dos espejos para escoger. Uno se llama el espejo social y el otro el espejo real. El espejo social sólo refleja la manera en que te ven los demás. El espejo real, por el contrario, refleja tu verdadero ser.

El espejo social es una forma de compararte con los demás. Te puede llevar a pensar en cosas como: ¿soy más bonita que ella? o ¿él es más listo que yo? El espejo real, por otro lado, se basa en tu potencial y en lo mejor de tu personalidad.

El espejo social es externo: para poder definir quién eres tienes que mirar fuera de ti. En contraste, el espejo real es

EL ESPEJO SOCIAL

- *Es lo que otros dicen de ti (tu imagen)*
- *Se basa en comparaciones con los demás*
- *Es externo*
- *Es creado por los medios*
- *Depende de dónde te encuentres en este momento*

EL ESPEJO REAL

- *Es el verdadero tú*
- *Se basa en lo mejor de ti mismo*
- *Es interno*
- *Es creado por tu conciencia y conocimiento de ti mismo*
- *Es tu potencial*

interno: debes mirar en tu interior para lograr una definición de ti mismo.

Por varias razones no es bueno mirarse en el espejo social:

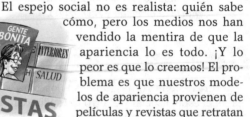

El espejo social no es realista: quién sabe cómo, pero los medios nos han vendido la mentira de que la apariencia lo es todo. ¡Y lo peor es que lo creemos! El problema es que nuestros modelos de apariencia provienen de películas y revistas que retratan una perfección nada realista.

Como lo señala la escritora Georgia Beaverson:

"Lo que la televisión y otros medios muestran ha puesto a nuestros adolescentes entre la espada y la pared. ¿Cuál es la espada? Hombres de musculatura imposible, mujeres perfectas, atletas que parecen no perder jamás. Los únicos valores son la ropa, el dinero, el éxito y el sexo. ¿Y cuál es la pared? En dos palabras, ¡la realidad!".

EL ESPEJO SOCIAL

(¿Cómo me describirían los demás?)

- Engreída
- Fea
- Malvada
- Reservada
- Impopular

EL ESPEJO REAL

(¿Cómo describiría a la verdadera yo, a la mejor parte de mí?)

- Amante de la diversión
- Amable
- Sociable
- Segura
- Firme

El espejo social cambia: si el concepto que tienes de ti depende de cómo te ven los demás nunca lograrás la estabilidad, porque las opiniones, las modas y las costumbres cambian constantemente y es muy difícil seguirles el paso.

El espejo social no es fiel: tú eres mucho más de lo que los demás opinan de ti. Eres mucho más que tu simple apariencia exterior. Posees belleza y un potencial que posiblemente nadie reconozca, ni siquiera tú mismo. Recuerda lo que la consejera de adolescentes Julia DeVillers dijo alguna vez: "No puedes pasarte la vida pensando que tienes los ojos del mundo puestos en ti. Cada vez que permites que las opiniones de otros te cohíban, les estás entregando tu poder... La clave para sentir confianza en ti mismo es escuchar siempre a tu yo interno... tu verdadero ser".

Espejito, espejito, dime quién es la más bella de todas

La personalidad y la competencia son casualmente los ingredientes primordiales para desarrollar una idea saludable de la propia valía. Veamos una definición de ambos.

La personalidad se refiere a quién eres, a tus cualidades. El código de scouts sirve bien para definirla. Un scout debe ser confiable, leal, servicial, amigable, cortés, amable, obediente, alegre, comedido, valiente, pulcro y respetuoso.

Las competencia se refiere a aquello en lo que eres bueno, a tus talentos, destrezas y habilidades. Las personas competentes, aptas y eficientes despiertan nuestra admira-

COMPARARSE CON MODELOS DE LOS MEDIOS INSULTOS RUMORES CHISMES
PRESIÓN DE LOS AMIGOS REVESES DE LA VIDA TEMOR FRACASO
DESEQUILIBRIOS HORMONALES PROBLEMAS FAMILIARES
ACNÉ RUPTURAS

LA CLAVE
DECISIONES INTELIGENTES

Piedras fundamentales de la personalidad

FE

SALUD FÍSICA

Piedras fundamentales de la competencia

ESPÍRITU DE SERVICIO

EL
ARCO DE TRIUNFO
DE LA PROPIA VALÍA

LOGROS

INTEGRIDAD

TALENTOS Y HABILIDADES

ción, ya sea por lo bien que reparan un auto, tocan el violín, golpean una pelota de golf, memorizan nombres o resuelven una ecuación.

LAS PIEDRAS FUNDAMENTALES DE LA PERSONALIDAD

Aunque son muchos los elementos que forjan la personalidad, los tres más importantes son:

Integridad es otra manera de llamar a la honestidad, con una ligera diferencia. Significa mantenerte fiel a lo que sabes que es correcto y ser honesto con todos, aun contigo mismo.

Ser íntegro te da paz interior, lo cual te permite lidiar casi con cualquier cosa.

Como el entrenador Rick Pitino de la NBA dijo:

"La mentira extiende un problema hasta el **FUTURO**; la verdad hace que se quede en el **PASADO**".

La gente disculpa los errores, pero no los engaños.

ESPÍRITU DE SERVICIO

"Servir a los demás es la renta que pagamos por ocupar un sitio en la tierra", dijo Wilfred Grenfall.

Como hemos recibido tanto, también debemos dar. No te sorprenda saber que, cuando das, también recibes. José, alumno de la secundaria Andrés, escribió acerca de la vez en que un maestro lo retó a ayudar a las personas sin hogar.

¡OH, SÍ, NENE! ¡SIENTE LA VIBRA!

COMEDOR PARA INDIGENTES

Salí a comprar unas cosas de McDonald's y di una vuelta en el auto de un amigo hasta que encontramos a un indigente. Me bajé del auto, caminé hacia él y le ofrecí la comida, que aceptó agradecido. Me senté a platicar un rato con él y luego me fui. Me hizo sentir muy bien tan sólo saber que, esa noche, el hombre no pasaría hambre cuando se fuera a dormir.

FE

Tener fe significa creer en algo aunque no puedas verlo. La fe tiene muchos rostros: puedes tener fe en ti mismo, fe en los demás o fe en que puedes hacer que las cosas sucedan si te esfuerzas lo suficiente.

Existe otro tipo de fe: la fe en las cosas del espíritu. Cada uno tiene sus propias creencias, lo que está bien.

Sin embargo, muchos estudios han demostrado que la fe o la práctica de una religión pueden desarrollar la propia valía en los adolescentes. ¿Por qué razón? Porque la fe:

ESPÍRITU JOVEN

- *Te ayuda a vincularte con algo más grande que tú mismo*
- *Te ofrece normas para regir tu vida*
- *Te ayuda a superar la presión negativa de tus amigos*
- *Te da sentido de identidad y pertenencia*

Observa en la siguiente carta que escribió una valerosa chica llamada Nicki Jean Jones la grandeza a la que te puede llevar una fe intensa:

A toda mi amada familia y amigos:

Durante los últimos 16 meses he tenido la oportunidad de prepararme aún más para mi encuentro con el Padre Celestial y he llegado a darme cuenta de que, no importa cuánto padezca o las pruebas que me ponga la vida, si cuento con Dios, no estaré sola.

Decidí que, en vez de compadecerme de mí misma, debo contar las bendiciones que he recibido. No sólo conservo una pierna sana, también tengo dos brazos y dos manos fuertes. Tengo ojos para ver, oídos para escuchar y una boca con la que me comunico con el mundo. Me he dado cuenta de que mi verdadera belleza yace en mi interior y de que el Señor sólo habrá de juzgarme por lo que albergue en mi corazón.

¡También quiero que sepan que he derrotado al cáncer! Quizá rebatan esta afirmación debido al resultado: me dejó sin una pierna, por el momento también me ha dejado sin cabello y al final se llevará mi vida, pero no ha logrado derrotarme porque no puede llevarse mi sonrisa, no puede llevarse mis creencias y de ninguna manera podrá quebrantar mi espíritu. Por eso digo que ¡lo he vencido!

Cuando reflexiono en esto, sé que no cambiaría nada porque lo que he obtenido del cáncer es mucho más precioso que lo que he perdido.

Para terminar, sólo quiero decirles que los amo con todo el corazón, que nunca me iré del todo ¡y prometo hablarle bien a Dios de ustedes!

Con mi eterno amor, Nicki.

LAS PIEDRAS FUNDAMENTALES DE LA COMPETENCIA

No hay nada que forje más rápido una valía propia que descubrir o desarrollar algún talento o habilidad. De eso se trata la competencia y no existe sustituto para ella.

Aunque también son varios elementos que incrementan nuestra competencia, tres son fundamentales:

TALENTOS Y HABILIDADES

Cada uno de nosotros ha nacido con talentos y habilidades particulares. Pero no aparecen así nada más: tienes que llegar hasta ellos. Los talentos y las habilidades son como los músculos: sólo se desarrollan por medio de su ejercitación.

Hay un niño tibetano ciego que se llama Tashi Pasang a quien no pudo irle peor en la vida. Cuando tenía apenas 11 años, su padre, al considerarlo una carga, lo llevó a la ciudad de Lhasa, donde lo cambió por un niño que sí veía. Los otros niños de la calle lo golpeaban y robaban constantemente. Sobrevivió como pudo su primer invierno en las calles gracias a los alimentos que mendigaba y a que se envolvía en bolsas de plástico para guardar el calor.

Al fin, unos tibetanos de buen corazón lo recogieron y lo llevaron a una escuela para niños discapacitados. Allí, a pesar

de que carecía de vista, Tashi se esforzó por desarrollar sus talentos y habilidades. Para asombro de todos, hoy sabe leer y escribir y habla tres idiomas: tibetano, chino e inglés. Usa la computadora con comandos de voz y hace poco recibió del gobierno chino su licencia médica oficial como masajista.

Ahora, cinco años después, planea volver a su aldea de origen para que sus padres sepan que está vivo y sano y que no alberga ningún rencor hacia ellos. Y tú creías que tus problemas eran graves.

En el mundo actual no basta con ser buen tipo; también hay que ser competente.

LOGROS

Lograr lo que te propones te otorga un gran poder. En las leyendas antiguas, el caballero que derrotaba en batalla a un enemigo absorbía su fuerza. Así ocurre cuando vencemos una debilidad o alcanzamos una meta que nos hemos impuesto. Absorbemos la fuerza del desafío y eso nos hace más poderosos. Para algunos tal vez signifique sacar puros dieces, para otros entrar al equipo de la escuela y para otros más podría ser superar una debilidad como moderar su lenguaje.

SALUD FÍSICA

Estar en forma es una capacidad que debe aprenderse mediante pruebas y la experiencia. Cuando se aprende a una edad temprana, se queda con uno toda la vida. Jamás hay que subestimar el poder que la salud física ejerce sobre la salud emocional.

A continuación te ofrezco 10 principios generalmente aceptados que mejorarán tu salud siempre que los practiques:

TAL VEZ DEBERÍA RENUNCIAR A LOS TUINKIS.

1. Toma siempre tu desayuno.

2. No sigas una dieta rica en grasas. Es insostenible. Al principio pierdes peso, pero luego lo recuperas y con el tiempo aumentas más.

3. Come al menos cinco porciones de frutas y verduras al día y varíalas. Cuantos más tipos comas, mejor.

4. Consume granos enteros: avena, arroz integral y trigo, en vez de cereales como la harina refinada, los panquecitos de la tienda o el arroz blanco.

5. Come menos azúcar, alimentos procesados y comidas fritas, lo que incluye refrescos, cereales endulzados y papas fritas.

6. Toma al menos dos porciones de proteínas al día, que pueden ser carne roja, pollo, pescado, huevos, frijoles o derivados de la soya.

7. Consume al menos dos porciones de productos lácteos cada día. Pueden ser queso descremado o cottage, yogur, helado de yogur o leche.

8. Come algunas grasas sanas cada día (pescado, nueces, aceite de oliva, aceite de girasol, aceite de canola).

9. Distribuye tu ingestión de calorías. Es mejor hacer varias comidas ligeras durante el día que comer todo lo del día en una sola sentada.

10. Bebe *mucha agua*.

Además de una buena nutrición, el ejercicio es funda-mental.

Todo mundo dice que no hay tiempo para hacer ejercicio. En realidad, para lo que no hay tiempo es para no hacerlo. El ejercicio te ayuda a sentirte y lucir mejor y vivir más (aunque esto no te preocupe ahora). Para lograr un programa equilibrado de ejercicio, los expertos en salud de la revista *Time* recomiendan:

DESPEJA TU MENTE: *practicar yoga, Pilates o alguna forma de ejercicio de estiramiento, respiración o meditación relaja el cuerpo, evita que te lesiones y mejora la circulación. Hazlos tres veces a la semana y verás cómo disminuye tu estrés.*

SI LAS ENDORFINAS FUERAN ILEGALES

¿HIJO? ¡ÁBREME! ¿QUÉ ESTÁN HACIENDO AHÍ DENTRO?

¡RÁPIDO! ¡ESCONDE LAS PESAS!

EJERCITA TU CORAZÓN: *camina vigorosamente, pedalea, trota, haz kickboxing o un ejercicio aeróbico. Esto beneficia al corazón, los pulmones y el sistema circulatorio y elimina calorías y grasa del cuerpo. Hazlo de tres a cinco veces por semana, de 20 a 40 minutos por sesión.*

DESCANSA LO SUFICIENTE: *el entrenamiento con pesas y otros ejercicios vigorosos hacen que las fibras musculares se desgarren. El descanso permite que los músculos se reparen y reconstruyan. Evita trabajar dos días seguidos un mismo grupo muscular.*

LA ELECCIÓN DE CADA DÍA

Recuerda que tener valía propia es una elección de cada día. En la columna "Querido Harlan" del *Desert Morning News* leí:

Querido Harlan:

Soy estudiante del primer año de la universidad y necesito que me aconsejes cómo lidiar con la desgracia de ser poco atractivo. Tengo sobrepeso y me he esforzado en perder los kilos de más (con algún éxito). El sobrepeso me ha dejado muchas estrías y tengo acné (que estoy tratando con la ayuda de un dermatólogo). El acné me ha dejado algunas marcas en el rostro y en el pecho.

Jamás he tenido una cita. Quisiera que no me descartaran como un posible compañero. ¿Cómo puedo superar estos sentimientos?

Firma: Oculto tras una Máscara.

Querido Oculto tras una Máscara:

Este fin de semana realicé una pequeña investigación (en el centro comercial) y descubrí a decenas de parejas de enamorados con defectos en la piel, llantitas y estrías. La conclusión: no es el acné lo que te detiene... ¡eres tú! Estás tan acostumbrado a hacerte menos que no das oportunidad a los demás.

Para revertir esta situación añade grandes cualidades a tu personalidad.

Cada mes adquiere una nueva (ejercítate, comprométete más, sirve como voluntario, aprende a escuchar, etc.). En un año tendrás

12 cualidades nuevas, y así sucesivamente. Cuantas más acumules, más razones tendrás para sonreír.

Tú eres una persona atractiva y mereces lo mejor. Ámate hoy... y los demás aprenderán a amarte mañana y siempre.

¿Cuál será el camino que elijas, el correcto o el incorrecto? Mi recomendación es que tomes el correcto: mírate en el espejo real, desarrolla tu personalidad y competencia y recuérdate cada día que debes aceptarte tal como eres.

Que desarrolles una valía sana no significa que no volverás a sentirte lastimado o inseguro. Significa que cuentas con un sistema inmune fuerte para frenar los gérmenes que la vida envíe contra ti.

Epílogo

DIAMANTES A RAUDALES

Hace años, en su discurso "¿Diamantes a raudales?", Rusell Conwell narró la historia del granjero Ali Hafid, que vivió en la antigua Persia. Descontento con lo que tenía, Ali vendió su granja y abandonó a su familia por ir en busca de diamantes. Durante los siguientes años recorrió Palestina y Europa hasta llegar a la costa de España. Allí, abatido, desconsolado y sin un centavo tras años de búsqueda infructuosa, se suicidó ahogándose en el océano. Años después, en la granja que vendió se descubrió la que sería la más grande mina de diamantes en la historia, Golconda. Si Ali se hubiera quedado en su hogar para buscar en sus propios terrenos, habría hallado diamantes a raudales.

Eso mismo pienso de cada uno de ustedes, los que están leyendo este libro. Creo que poseen infinidad de habilidades naturales, diamantes a raudales, por decirlo así, y que no necesitan buscar en ningún otro lado. Basta con que busquen en sus propios terrenos.

En *El rey león* hay una escena extraordinaria que trata este asunto. Luego de que Mufasa, el rey de la sabana, muere, se supone que su hijo Simba debe sucederlo. Pero como se siente responsable por la muerte de su padre, Simba huye y se pasa años haraganeando junto con sus irresponsables amigos. Pronto olvida la gran responsabilidad y herencia que le corresponden. Una noche Simba tiene una visión en la que enfrenta a su padre.

MUFASA: *Simba, me has olvidado.*

SIMBA: *No, ¿cómo dices eso?*

MUFASA: *Has olvidado quién eres y es así como me has olvidado. Mira en tu interior, Simba. Eres mucho más de lo que te has convertido. Debes ocupar tu lugar en el Círculo de la Vida.*

SIMBA: *Pero ¿cómo puedo regresar? No soy quien fui antes.*

MUFASA: *Recuerda quién eres: eres mi hijo y el único rey verdadero. Recuerda tu origen. Nunca dejes de recordar...*

Eres hijo de Dios; por eso, cuando actúas a medias no le haces ningún bien al mundo. No hay nada menos ilustre que empequeñecerte con tal de hacer sentir seguros a quienes te rodean. Todos fuimos hechos para brillar, como los niños. Nacimos para hacer patente la gloria de Dios en nuestro interior. Esa gloria se encuentra no sólo en unos cuantos, sino también en todos. Y cuando dejamos que nuestra luz brille, sin saberlo damos permiso a otras personas de hacer lo mismo... hasta... permiso a otras personas de hacer lo mismo (Marianne Williamson).

NUESTRAS DECISIONES DETERMINAN QUIÉNES SOMOS

A pesar de que los genes y la educación influyen profundamente en ti, tú eres quien eres por las decisiones que tomas. ¡Las decisiones mandan!

Así que recuerda: hay seis decisiones clave que deberías de tomar durante la adolescencia, las cuales pueden forjar o destruir tu futuro. También eres libre de elegir la senda que deseas. Ojalá que este libro te haya preparado para responder a estas preguntas:

1. ¿Qué voy a hacer en relación con mi educación?

2. ¿Qué clase de amigos elegiré y qué clase de amigo seré?

3. ¿Me llevaré bien con mis padres?

4. ¿Con quién voy a salir y qué haré respecto al sexo?

5. ¿Qué haré respecto a fumar, las drogas, la pornografía y otras adicciones?

6. ¿Qué haré para fortalecer mi autoestima y mi valía?

Los dejo con mis mejores deseos de que triunfen en la vida

Su amigo Sean

99 tips de las 6 decisiones más importantes de tu vida, de Sean Covey
se terminó de imprimir en abril de 2008
en los talleres de Litográfica Ingramex, S.A. de C.V.
Centeno 162-1, Col. Granjas Esmeralda,
C.P. 09810 México, D.F.